Segunda antología de la poesía española

Austral Educación

SEGUNDA ANTOLOGÍA DE LA POESÍA ESPAÑOLA

AA. VV.

Edición a cargo de
Marcelino Jiménez León

El papel utilizado para la impresión de este libro está calificado como **papel ecológico** y procede de bosques gestionados de manera **sostenible**.

Carme Arenas dirigió esta colección hasta el núm. 26

Diseño de la colección: Austral / Área Editorial Grupo Planeta
Ilustración de la cubierta: Shutterstock
Primera edición en esta colección en Austral: enero de 2015
Segunda impresión: julio de 2015
Tercera impresión: julio de 2016
Cuarta impresión: septiembre de 2016
Quinta impresión: octubre de 2016
Sexta impresión: marzo de 2018
Séptima impresión: septiembre de 2018
Octava impresión: octubre de 2018
Novena impresión: febrero de 2019
Décima impresión: septiembre de 2019

Depósito legal: B. 14.066-2014
ISBN: 978-84-670-4199-6
Composición: Víctor Igual, S. L.
Impresión y encuadernación: CPI (Barcelona)
Printed in Spain - Impreso en España

ÍNDICE

NOTA INTRODUCTORIA

El presente volumen de la colección *Austral Educación* ha sido editado para cualquier tipo de lector, pero pensando de manera especial en el que está en edad de formación.

La colección incorpora en sus títulos una edición realizada por un especialista en la obra, para ayudar al estudiante —y también al profesor— a conseguir una lectura profunda, a hacerle reflexionar sobre todo aquello que el texto nos aporta, pero que quizá no resultaría del todo evidente en una primera aproximación. Así, *Austral Educación* integra, además de la obra, un *Estudio preliminar* en el que, de manera didáctica y amena, se reúne todo el conocimiento que hasta hoy se tiene de ésta, gracias a los diversos estudios ya publicados. El lector obtendrá conocimiento sobre el autor y claves interpretativas de la obra a través de sus aspectos más importantes: el argumento, el tiempo, los personajes, etc., si hablamos de un texto de narrativa o de teatro, o bien las particularidades formales y retóricas, en el caso de la poesía.

Asimismo, al final de cada capítulo hallaremos un apartado didáctico con materiales que le ayudarán a profundizar en el texto. Las *Propuestas de trabajo*, además de reflexión, le darán la posibilidad de interrelacionar la obra con otras del mismo autor o del mismo período; lo podríamos definir como intensificador de la lectura, ya que de manera sencilla pero efectiva le acercará a aspectos esenciales de la obra.

Esta antología combina la mejor tradición filológica y didáctica con las nuevas tecnologías, para lograr un resultado que quiere satisfacer a estudiantes y profesores, pero sobre todo a cualquier lector interesado en la poesía, independientemente de su nivel de conocimientos. Para ello cada texto viene acompañado por una serie de complementos que cada lector utilizará en función de sus necesidades. De este modo, se pretende que el poema vuelva a ser fuente de goce estético, pero también una herramienta para entender el mundo o, al menos, el pequeño mundo del hombre.

Carme Arenas

ESTUDIO PRELIMINAR

1. INTRODUCCIÓN

Esta antología pretende, en primer lugar, que el lector disfrute con la lectura de los textos y, además, que éstos le resulten, como pretendía Horacio, útiles y dulces, y que le ayuden a entender el pasado, porque es la única forma de entenderse a uno mismo y de prepararse para el futuro.

Desde luego, la selección parte de un «pie forzado» (el conjunto de las lecturas prescriptivas para el Bachillerato), pero no por ello resulta menos útil para cualquier lector interesado, más allá de las particulares circunstancias académicas de cada uno. Se recogen aquí casi mil años de poesía en castellano, y si bien en toda antología habrá desacuerdos, sí es seguro que todos los textos tienen entidad y calidad suficientes como para formar parte de una selección de estas características.

Un problema más importante es, quizá, el lugar que ocupa la poesía hoy en nuestras aceleradas y tecnológicas sociedades modernas (no diré en nuestras vidas, porque es asunto que no puede resolverse en breve espacio), pero la lectura atenta de estos textos (o de otros similares) nos demuestra que la poesía puede desempeñar un papel fundamental en cada uno de nosotros.

Conviene hacer, en primer lugar, una precisión terminológica: si bien la Edad Media puede acotarse cronológicamente entre el siglo V y el siglo XV, la literatura medieval en castellano comienza hacia los siglos X-XI, aunque nos ha llegado a través de testimonios escritos muy posteriores.

Si pretendemos gozar de la lectura de los textos castellanos medievales, se impone hacer unas consideraciones previas sobre la alteridad de la literatura medieval (es decir, sobre su carácter «otro», distinto). En primer lugar debe tenerse en cuenta que la aparición de las literaturas en lenguas románicas es en su tiempo un fenómeno extraño y peculiar, por la radical novedad que supone el hecho de que en el occidente europeo se empieza a escribir en lenguas vulgares, lo cual resulta extraño entonces, en la medida que en aquella época se identifica «cultura» y «escritura» con «lengua latina». Decimos que este fenómeno es extraño porque estamos hablando del paso de la oralidad a la escritura, que es uno de los cambios más radicales en cualquier sociedad. Ello determina que entre en crisis la identificación de cultura con lengua latina, porque a partir de ese momento las lenguas románicas reciben una forma literaria que se inscribe dentro de un sistema literario. No obstante, en esos inicios se notarán mucho todavía las huellas de la oralidad. Además, esas literaturas románicas están estrechamente vinculadas a la sociedad laica: es un mundo que busca una literatura que tenga que ver con él, que conecte con sus problemas, que responda a las preguntas que se hace esa sociedad, que es enormemente conflictiva.

La poesía popular debió de ser mucho más abundante que la culta, pero precisamente por su transmisión exclusiva a través de la oralidad nos ha llegado una parte muy pequeña, pues el interés por conservarla mediante manuscritos solo se produce en el siglo XV. El primer testimonio que tenemos de la lírica popular castellana (pero también en lengua romance) lo constituyen las jarchas, que son las primeras muestras literarias conservadas de una lengua nueva, luego conocida como castellano, surgida del latín vulgar. Por el lugar en que aparecen (al final de las *moaxajas*), puede decirse que desde los primeros testimonios literarios castellanos la tradición culta y la popular están estrechamente ligadas (como veremos, es uno de los ejes vertebradores de nuestra tradición poética), ya que las jarchas son una muestra de la floreciente literatura desarrollada por los judíos y musulmanes cultos peninsulares. Por otra parte, es evidente el parentesco de las jarchas con las cantigas de amigo gallego-portuguesas, aunque el tono varía (más triste en las cantigas). Cabe añadir que la importancia de la lírica tradicional en España y Portugal es excepcional en el territorio románico, y algunas circunstancias históricas han contribuido a ello, como el hecho de que la expulsión de los judíos en 1492 y la constitución de la comunidad sefardí en la diáspora haya permitido la pervivencia de una tradición oral de manera ininterrumpida casi hasta nuestros días.

La épica (a la que pertenece el cantar de gesta) es el género más característico de la Edad Media, pero también el más tradicional y el más conservador, porque detrás del cantar de gesta está la tradición de los cantos épicos que se han reiterado a lo largo de muchos siglos y se han ido fosilizando. Tenía unas finalidades muy claras (carácter informativo y de propaganda política, diríamos hoy) e iba dirigida a un público amplio y heterogéneo. Conviene recordar que, al igual que sucede con la lírica popular, conservamos una parte muy pequeña y tardía de toda la producción épica que se produjo; de hecho, se considera que en la épica castellana debió de haber tres ciclos temáticos principales: el del Cid, el de los Condes de Castilla y el ciclo francés, pero solo nos ha llegado íntegramente el *Cantar de Mio Cid*, en una copia del siglo XIV que parte de un manuscrito de comienzos del siglo XIII (muy probablemente el *Cantar* estaba ya formado hacia la segunda mitad del siglo XII).

El origen del romancero hay que situarlo hacia el siglo XIII, y está íntimamente relacionado con los cantares de gesta, tanto temática como formalmente, pues los primeros romances surgieron de los cantares de gesta. Paulatinamente fue en aumento la variedad temática de los romances, y también el interés de los poetas en este género, surgiendo así el llamado *romancero nuevo*.

Otro nuevo modo de hacer poesía desde comienzos del siglo XIII lo constituye el mester de clerecía, que se distancia igualmente del cantar de gesta y de la lírica tradicional. Sus autores son escritores cultos que conocen bien el latín, circunstancia que prácticamente sólo se daba entre el clero (de ahí el marbete de «mester de clerecía», que podemos traducir como «trabajo u oficio del clero»). Los *Milagros de Nuestra Señora* son la obra más conocida de Gonzalo de Berceo, cuyo objetivo es aumentar la fe en la Virgen pero también entretener a los peregrinos. Aunque sin duda la obra más importante y más original del mester de clerecía es el *Libro de buen amor*, escrito por Juan Ruiz, Arcipreste de Hita, a mediados del siglo XIV, que resulta muy moderno por su ambigüedad y humor.

El panorama poético cambia notablemente a partir del humanismo italiano, que empieza a permear en la poesía castellana a partir del siglo XV, y buena muestra de ello son el Marqués de Santillana y Jorge Manrique. Don Íñigo López de Mendoza, Marqués de Santillana, es un autor fundamental de las letras castellanas medievales, tanto por su vasta cultura como por la variedad de su producción poética. En cuanto a las *Coplas a la muerte de su padre*, de Jorge Manrique, constituyen un hito de la literatura universal, por su profunda reflexión sobre la vida y la muerte con un lenguaje próximo que todavía nos hace vibrar.

3. RENACIMIENTO Y BARROCO

Hemos de empezar señalando que el término «Edad Media» fue utilizado a partir del Renacimiento con un matiz peyorativo de «etapa intermedia», sin demasiado valor en sí misma, precisamente para denominar una época que se situaba entre la gloriosa Antigüedad grecolatina y la recuperación de esa época que se hace a partir del siglo XIV en Italia y que se extenderá rápidamente por el resto de Europa.

Garcilaso de la Vega fue quien acabó de asentar el Renacimiento poético en España, alcanzando una de las cotas más altas en nuestra lírica. La brevedad de su obra es inversamente proporcional a su importancia (hay otros casos similares en esta antología, como San Juan de la Cruz o Jaime Gil de Biedma). Consigue dotar al verso endecasílabo y al soneto de un prestigio que ya no le abandonará nunca; el empleo que hace de la lira y la octava o el uso de subgéneros como la elegía y la epístola será muy frecuente a partir de su obra. Fray Luis de León retoma el modelo de Garcilaso, pero le da un giro hacia lo moral y lo religioso. La corriente italianizante, la poesía amorosa popular y la mística se funden en la obra de San Juan de la Cruz, que es una de las cimas más altas de la poesía universal.

A partir del siglo XVII el espíritu del Barroco se adueña de las letras castellanas. Conviene recordar que el Barroco es una consecuencia de la Contrarreforma y del Concilio de Trento (con el consiguiente control en todos los órdenes de la vida por parte de la Inquisición), que en el caso de España entronca con la decadencia política y económica. Frente al equilibrio y el optimismo renacentistas triunfan ahora la torsión, la duda y el recelo. Ante esta realidad, los poetas optan por crear una realidad ficticia, marcada por la belleza, o bien por satirizar el mundo que les envuelve. Todo ello tiene su repercusión también en el estilo, que se vuelve oscuro y denso, como en la *Fábula de Polifemo y Galatea* o en las *Soledades* de Luis de Góngora (seguido de cerca, al otro lado del Atlántico, por sor Juana Inés de la Cruz). La variada y extensa obra de Francisco de Quevedo y la prolífica y no menos intensa de Lope de Vega constituyen otros dos hitos fundamentales de la poesía española del Barroco. La línea de reflexión moral que arranca con fray Luis de León tiene una estupenda continuidad en la *Epístola moral a Fabio*, de Andrés Fernández de Andrada.

Debe advertirse aquí que en esta antología no se recoge ningún texto poético del siglo XVIII, lo cual no equivale a decir que el período sea prescindible desde el punto de vista literario.

4. ROMANTICISMO

El inicio del siglo XIX supone para España el comienzo de una serie de conflictos bélicos, que serán la característica general del período desde el punto de vista histórico y que afectarán profundamente al desarrollo literario. Así, la invasión napoleónica produce un sentimiento contradictorio entre los intelectuales del país. Por una parte, Francia significaba el progreso y, por tanto, la posibilidad de que España alcanzara el nivel de ilustración al que no había podido llegar durante el siglo XVIII; por otra, la misma invasión desencadenaba un sentimiento de afirmación nacional contrario al invasor extranjero. En este dilema vivirán personajes de la altura de Jovellanos, Meléndez Valdés o Goya. Fruto del encuentro de estas dos ideas será la reunión de un grupo de intelectuales y políticos en Cádiz en 1812, donde proclaman una constitución liberal bastante avanzada, que jurará Fernando VII. Pero después éste romperá su juramento y volverá a la censura y a la limitación de libertades, determinando así el encarcelamiento o el exilio de los intelectuales, que irán sobre todo a Francia e Inglaterra, donde se alimentarán de las nuevas ideas literarias, es decir, del Romanticismo. De 1820 a 1823 (durante el llamado «trienio liberal») se produce un retorno a las ideas progresistas, propiciando así el regreso de los exiliados, que traerán a España los aires románticos. Pero el clima de libertad vuelve a cerrarse el año 1823, con la intervención de los Cien Mil Hijos de San Luis, iniciándose «la ominosa década» (1823-1833), período de regresión de las libertades que llegará hasta la muerte de Fernando VII y que supone, para los intelectuales progresistas, el exilio de mayor interés desde la vertiente literaria.

Desde el punto de vista estrictamente literario, el Romanticismo significará la ruptura con las normas neoclásicas y, por tanto, con las rígidas poéticas del siglo anterior, y la introducción de nuevos temas, relativos a los conflictos del individuo consigo mismo y con el mundo que lo rodea, con la consiguiente aparición recurrente del tema del suicidio, que no será sólo una cuestión literaria sino, en algunos casos, la única salida (de Larra, por ejemplo). Un hito para la literatura romántica castellana es el estreno de *Don Álvaro o la fuerza del sino*, de Ángel de Saavedra (Duque de Rivas) en 1835. Desde el punto de vista temático, el Romanticismo español se caracterizará por la aparición del paisaje medieval (en la poesía, pero también en el teatro y en la novela), con temática legendaria e histórica, así como la recurrencia a los héroes nacionales y la exaltación de la naturaleza y el exotismo; pero, por otra parte, habrá una fuerte corriente crítica con la sociedad y la política del momento que se traduce, en el ámbito poético, en el canto a figuras marginales (tal es el caso de los cantos de Espronceda al pirata o al reo de muerte, entre otros) y, en la prosa, en los artículos de Larra, verdaderas piezas maestras, a medio camino entre el periodismo y la mejor literatura, aunque es en la poesía donde apreciamos más claramente la reivindicación de carácter social y político y el enfrentamiento con la sociedad (se ha afirmado que la poesía social tiene su origen en el Romanticismo). En lo que atañe a las cuestiones formales, el Romanticismo español también rompe con la uniformidad de la métrica, mezclando los metros dentro del mismo poema, o lo trágico con lo cómico y, además, no respeta las reglas de las unidades dramáticas clásicas, todo ello hecho desde una importante renovación de la lengua. El interés por el pasado medieval lleva a la recuperación del romance como forma estrófica.

Aunque ya desde finales del siglo XVIII y comienzos del XIX encontramos algunos poemas (calificados por la crítica con el polémico término de prerrománticos) que indican un cambio estético, será nuevamente una obra del Duque de Rivas (*El moro expósito*, 1834) la que marcará definitivamente una nueva línea, con un poema basado en una leyenda, escrito en forma de romance y precedido por un prólogo programático del Romanticismo, obra de Antonio Alcalá Galiano. Pero el poeta por excelencia de esta primera parte del Romanticismo español es José de Espronceda: formado en las preceptivas neoclásicas (que se pueden apreciar en *El Pelayo*), evolucionó hacia características plenamente románticas (con mezcla de formas métricas y temática de reivindicación social, pero también legendaria). Poemas de carácter evidentemente político son, por ejemplo, «A la Patria» o «A Torrijos» o sus cantos a figuras marginales (con la carga contestataria que ello conlleva) como el «Canto del cruzado» o «El verdugo», aunque su poema más famoso es, sin duda, la «Canción del pirata». Otros poetas destacados fueron José Zorrilla, Nicomedes Pastor Díaz o Gertrudis Gómez de Avellaneda.

Gustavo Adolfo Bécquer y Rosalía de Castro, que representan un Romanticismo tardío, son dos poetas fundamentales que marcan una línea distinta y con mayor pervivencia en la poesía posterior. Bécquer destaca sobre todo por su lirismo intimista, alejado del tono retórico representado por Zorrilla y, en cambio, muy influenciado por la obra de Heine; sus composiciones poéticas están recogidas en *Rimas* y, en prosa, la obra más importante es *Leyendas*. De origen gallego y muy arraigada a su tierra, Rosalía de Castro escribió en su lengua materna y también en castellano. La nostalgia de la tierra fue una constante de su obra, en la que, además del fuerte intimismo, se aprecian la sensibilidad hacia la naturaleza y una importante riqueza temática. Dos de sus libros más destacados son *Cantares galegos* (1863) y *En las orillas del Sar* (1884).

5. POESÍA DEL SIGLO XX

5.1. *Modernismo*

El inconformismo y la experimentación, junto con los avances técnicos, marcan el final del siglo XIX. En cuanto al mundo de la literatura, y el arte en general, dos constantes básicas son el rechazo de la burguesía y las técnicas innovadoras opuestas a las establecidas. El modernismo tiene su origen en Hispanoamérica, y uno de sus principales artífices es Félix Rubén García Sarmiento («Rubén Darío»), nacido en Nicaragua. El modernismo poético supone una renovación total: afecta a las estrofas, los metros, los ritmos y los temas. Recibe las influencias del parnasianismo y del simbolismo franceses, y entre sus temas y preferencias se encuentran el gusto por el mundo clásico, la mitología, las evocaciones históricas o el exotismo, que será una forma de oponerse a la desagradable realidad, aunque también aparecen temas más relacionados con la realidad política y social. *Cantos de vida y esperanza* (1905) es la mejor obra poética de Darío, donde se aprecian claramente los rasgos modernistas. Su influencia la podemos notar en poetas de la valía de Antonio Machado o Juan Ramón Jiménez, y será notable en otros poetas modernistas, como Manuel Machado o Francisco Villaespesa. Pero en el modernismo español se atenuarán algunos aspectos del hispanoamericano (por ejemplo, hay sonoridades menos rotundas y menos ninfas y princesas) y, en cambio, encontraremos otras notas inexistentes en el modelo hispanoamericano (como el paisaje castellano).

Antonio Machado es uno de los poetas clave de la lírica española del siglo XX que se inicia con el modernismo. En él tiene una importancia fundamental el paisaje de Castilla, reflejado con un lirismo profundo; *Soledades* (1903) muestra bien estos orígenes. Después de las primeras obras modernistas, con influencia de la poesía francesa, evoluciona hacia la sencillez temática y formal. El otro poeta fundamental que también tiene sus inicios en el modernismo es Juan Ramón Jiménez. Sus primeras obras muestran la influencia directa de Rubén Darío y de otros modernistas, como Villaespesa, con los que coincidió en Madrid. Pero ya desde estos primeros libros modernistas (*Ninfeas* o *Almas de violeta*, 1900), llenos de decadentismo, se capta su voluntad de llegar a una poesía intimista, auténtica, desligada de la retórica vana, que será una constante en su obra.

5.2. *El Grupo poético del 27*

Este marbete proviene del acto conmemorativo del tercer centenario de la muerte de Góngora que un grupo de jóvenes poetas celebran en Sevilla, en 1927. Los poetas más destacados son: Rafael Alberti, Federico García Lorca, Jorge Guillén, Pedro Salinas, Vicente Aleixandre, Emilio Prados, Luis Cernuda, Dámaso Alonso y Gerardo Diego. Entre sus maestros de las generaciones precedentes se encuentran Miguel de Unamuno, Antonio Machado, Juan Ramón Jiménez y Rubén Darío. Admiran también la poesía del Siglo de Oro español (Garcilaso, San Juan de la Cruz, Quevedo, Góngora...), así como las formas populares. Por otra parte, asimilan la obra de poetas extranjeros, por ejemplo Paul Valéry o T. S. Eliot. Llevan a cabo una importante renovación formal, prefiriendo formas sencillas y, en cuanto al verso, el uso del verso libre y los versículos. Temáticamente, se tiende hacia una poesía humanizada (aunque en una primera fase no sea así), es decir, que trate los temas más importantes y eternos del ser humano. En este sentido destaca la obra de Pedro Salinas, buena parte de la cual está dedicada al tema del amor, y la de Jorge Guillén titulada *Cántico* (1928-1950), que se va desarrollando y ampliando en el tiempo. Gerardo Diego publicó en 1932 una antología de poesía que acabó consagrándolos y dándoles unidad. Otra de las figuras más populares y de más alta calidad poética del 27 es Federico García Lorca, que sigue líneas poéticas diferentes con igual éxito, por ejemplo la poesía tradicional en el *Romancero gitano* (1928) o la poesía de vanguardia en *Poeta en Nueva York* (1929), todo teñido por su estilo personal, lleno de un universo de metáforas fascinantes. También Rafael Alberti cultivará la poesía neopopular (*Marinero en tierra,* 1925) y la de vanguardia (*Sobre los ángeles*, 1927-1928). La obra de Luis Cernuda recoge las influencias de Bécquer (aunque también de miembros de su grupo poético, como Pedro Salinas o Jorge Guillén); el tema más presente en él es el desengaño amoroso, como podemos comprobar en *Donde habite el olvido*.

5.3. *Guerra civil, dictadura, exilio, posguerra y democracia*

La guerra civil española (1936-1939) supone una ruptura no sólo con la normalidad social y política, sino también en el ámbito literario. Si la Segunda República había supuesto importantes avances en muchos ámbitos y había conseguido, en muy pocos años, acompasar el país con el resto de Europa, la guerra civil y la victoria de los insurrectos trajo como resultado inmediato la destrucción de las libertades y conquistas logradas, y el comienzo de un largo período de oscuridad, que duró casi cuatro décadas.

La guerra provocará divisiones entre los escritores y, al mismo tiempo, una producción comprometida con la causa de cada uno que en muchos casos no se habría dado de no producirse la conflagración. Así, poetas de diferentes promociones pondrán su pluma al servicio de la causa. En el bando republicano estarán, entre otros, Antonio Machado, Rafael Alberti o Miguel Hernández, mientras que en el bando rebelde figuraban Dámaso Alonso, Dionisio Ridruejo o Luis Rosales. Mayoritariamente se trata de obras de circunstancias, que en general tienen más alto valor histórico o testimonial que puramente literario, aunque hay excepciones. La guerra truncó la vida de García Lorca o Miguel Hernández, y obligó al exilio a la mayor parte de los mejores escritores. Así, tuvieron que huir Antonio Machado (que morirá poco después), Juan Ramón Jiménez, Luis Cernuda, Pedro Salinas, Jorge Guillén, Rafael Alberti o León Felipe, entre otros muchos. La guerra supone, por tanto, una auténtica tragedia también desde el punto de vista cultural. La mayoría logra continuar su obra en el exilio, produciendo textos fundamentales de la literatura castellana (recordemos, por ejemplo, la obra de Juan Ramón Jiménez o la de Luis Cernuda). Entre los que no se exilian también deben establecerse divisiones. Por una parte, los partidarios del franquismo, que lograrán beneficios del poder (Dionisio Ridruejo, Luis Rosales o Leopoldo Panero, si bien se produjeron luego disensiones importantes con el régimen franquista); por la otra, muchos de los que se quedan pero viven en un exilio interior y en el ostracismo externo, o bien en un difícil equilibrio (Baroja u Ortega y Gasset).

Como hemos señalado, al terminar la guerra civil los grandes poetas en castellano han sido víctimas de ella o están en el exilio. Entre los fieles al régimen franquista, y en cuanto a los primeros años de posguerra, la crítica tradicional ha establecido dos líneas (con una distinción no taxativa): la poesía arraigada y la desarraigada. La primera es conformista con el mundo en que vive, con toques de optimismo y religiosidad, utilizando formas clásicas para expresarlo. En esta línea hay poetas que luego se alejan de ella, como Luis Rosales, Leopoldo Panero o Dionisio Ridruejo. En el otro lado, la poesía desarraigada expresa su disconformidad con un mundo que le parece caótico, lo cual, unido a su conflictiva religiosidad, los hace próximos a las corrientes existencialistas: aquí debe situarse la obra inicial de Gabriel Celaya y Blas de Otero. Pero no toda la poesía de ese momento se reduce a estas dos vertientes: hay también otras figuras que no se pueden incluir en ninguna línea determinada, por ejemplo José Hierro o Pablo García Baena.

De modo similar a lo que sucede en la poesía, en el campo de la novela, los primeros años de la posguerra son de tanteo, con predominio de textos que hacen alusión a los problemas existenciales y religiosos. Aunque en 1942 aparece un texto clave, *La familia de Pascual Duarte*, novela de Camilo José Cela (donde se refleja justamente el atraso de la sociedad de forma cruda pero con fórmulas narrativas innovadoras), será a mediados de la década de 1950 cuando aparecerá una tendencia definida: el realismo social, que afecta a la poesía, la novela y el teatro. Así, de estos años destacan obras tan importantes como *Pido la paz y la palabra*, de Blas de Otero, o *Cantos iberos*, de Gabriel Celaya (con respecto a la poesía); *El Jarama*, de Rafael Sánchez Ferlosio (en novela), y *Hoy es fiesta*, de Antonio Buero Vallejo, o *La mordaza*, de Alfonso Sastre (en el teatro). Estas obras tienen un marcado tono de denuncia de la realidad social, con el cual el escritor pretende transformar su sociedad y, por tanto, necesita llegar a una gran cantidad de público; por eso utiliza un lenguaje sencillo. Pero paulatinamente los autores se van alejando del realismo y emprenden nuevos caminos. Así, en la novela tenemos el ejemplo en *Tiempo de silencio* (1962), de Luis Martín Santos, donde todavía hay denuncia social, pero con una técnica innovadora, fuertemente influenciada por el *Ulises*, de James Joyce (esta tendencia experimental continuará en los años siguientes).

En el ámbito poético, aunque algunas voces como las de José María Valverde o José Hierro ya marcaron una diferencia con respecto a la poesía social de Otero o Celaya (sin que se consideren totalmente alejados de ella), la verdadera superación de la poesía social se produce a finales de los años cincuenta, con la aparición de una serie de nombres fundamentales de la lírica castellana que luego se han intentado agrupar bajo un marbete común, denominado Generación del 50, que incluye una nómina fluctuante, en la que están Ángel González, Carlos Barral, J. M. Caballero Bonald, José Agustín Goytisolo, Jaime Gil de Biedma, José Ángel Valente, Francisco Brines, Claudio Rodríguez, Carlos Sahagún, Alfonso Costafreda e incluso el propio José María Valverde. Este grupo tendrá en Barcelona un núcleo importante, conocido como Escuela de Barcelona. Sin duda, hay una serie de rasgos comunes a todos ellos, además de estrechas relaciones personales, que han ido consolidándose con la organización, más recientemente, de congresos y homenajes a la generación (o grupo) del 50. Temáticamente, hay una radical preocupación por el hombre, se vuelve a la infancia, lo íntimo (con preponderancia del recuerdo de la guerra civil) y lo cotidiano, pero todo ello tratado con tono conversacional, antirretórico, y con un abundante empleo de la ironía que revela un evidente escepticismo, pero no patetismo, lo cual no evita la protesta ni el inconformismo, claro está. Es decir, el inconformismo y la preocupación social siguen estando presentes, pero con un tono más íntimo y un estilo depurado pero a la vez coloquial y no retórico. La antología *Veinte años de poesía española (1939-1959)*, publicada por Josep Maria Castellet en 1962, recoge buena parte de la nómina anteriormente citada y sirve, en este sentido, como texto que colabora en el establecimiento del canon. Pues bien, otra antología del mismo crítico, esta vez titulada *Nueve novísimos poetas españoles* (publicada también en Barcelona, 1970), marcará el canon de la siguiente promoción poética. En esta antología se recogen textos de una serie de poetas nacidos entre 1939 y 1948, que son: José María Álvarez, Félix de Azúa, Guillermo Carnero, Pere Gimferrer, Antonio Martínez Sarrión, Anna Maria Moix, Vicente Molina-Foix, Leopoldo María Panero y Manuel Vázquez Montalbán, que marcan una nueva sensibilidad poética. Tienen un amplio elenco de referencias literarias que manejan con asiduidad (la censura ya no es tan rígida como en la promoción anterior), se muestran muy críticos con la sociedad consumista y en sus textos alternan lo frívolo con lo serio, pero su objetivo principal es la renovación del lenguaje poético, muy influenciado por el surrealismo. Evidentemente, hay más nombres en el panorama poético de la década de los setenta, tales como Luis Antonio de Villena, Luis Alberto de Cuenca, Jaime Siles o Antonio Carvajal (entre otros muchos), autores que marcan diferentes líneas, como por ejemplo un refinamiento que se dio en llamar «veneciano», próximo al decadentismo; la línea culturalista —en esta dirección hay que situar la obra de María Victoria Atencia—, la clasicista (con influencia de poetas griegos y latinos) o la barroquista (influenciada, sobre todo, por la poesía andaluza del siglo XVII).

En la poesía de las décadas de 1980 y 1990 se perciben tendencias muy diversas y variedad de tonos, acentos y registros, con la que se corresponde también un amplio abanico de formas, que va desde el respeto a las estructuras clásicas a la libertad formal. Sin embargo, también hay elementos unificadores. Uno de los más importantes es la alta conciencia metapoética, junto con la voluntad de construirse un mundo propio que, naturalmente, vive en la tradición: los clásicos, pero también las nuevas «tradiciones populares», como el cine, la televisión o el cómic, siguiendo en esto último caminos ya abiertos por los novísimos. Otro rasgo fundamental es el de la intertextualidad, que en algunos casos resulta difícil reconocer como tal, porque los hablantes han hecho suyos versos y prosas.

Hasta aquí los límites de la presente selección. En cuanto a la poesía de los últimos años, se caracteriza por la convivencia de corrientes muy distintas y por la heterogeneidad, que se da incluso en la obra de un mismo autor.

SEGUNDA ANTOLOGÍA
DE LA POESÍA ESPAÑOLA

I

JARCHAS

Las jarchas eran poemas breves anónimos, de origen popular y de métrica irregular, que estaban escritos en mozárabe (variedad de lengua románica fruto del contacto del latín vulgar con el árabe) y se colocaban al final de una composición culta escrita en árabe, llamada *moaxaja*, y empleada por poetas cultos andalusíes árabes y hebreos entre los siglos XI y XIII. Es decir, los poetas cultos utilizaban estas cancioncillas populares anónimas para terminar sus composiciones (de hecho, *jarcha* en árabe significa «salida» o «remate»). Constituyen, hasta la fecha, la manifestación más antigua de la lírica tradicional en lengua románica. Suelen estar en boca de una joven enamorada, llena de pasión, que llora la separación del amado (el *habib*, que puede traducirse también por «amante» o «amigo»), su ausencia, los celos u otras circunstancias similares. Con frecuencia busca el consuelo en la confesión de sus penas a la madre o a las hermanas; las interjecciones y las interrogaciones sirven para transmitir su pasión y sus inquietudes. La brevedad de la composición refuerza la intensidad del sentimiento. Muchas de estas características (como la voz femenina que se lamenta) son compartidas por las cantigas de amigo y los villancicos.

I

Vayse meu corachón de mib,
¡ya Rab!, ¿si se me tornarád?
Tan mal meu doler li-l-habid.
Enfermo yed, ¿cuándo sanarád?

(Se va mi corazón de mí.
¡Ay, Señor!, ¿acaso me volverá?
Tanto me duele por el amigo.
Enfermo está, ¿cuándo sanará?)

II

Garid vos, ¡ay yermaniellas!
¿cóm' contenir el mio male?
Sin el habib non vivreyo:
¿ad ob l'irey demandare?

(Escuchad, oh hermanitas,
¿cómo contener mi mal?
Sin el amigo no vivo:
¿sabéis cuándo volverá?)

III

¿Qué faré mamma?
Meu-l-habib est' ad yana.

(¿Qué haré, mama?
¡Mi amado está a la puerta!)

IV

Si me quereses,
ya omne bono,
si me quereses,
darasme uno.

(Si me quisieses,
oh hombre bueno,
si me quisieses,
me darías uno.)

PROPUESTAS DE TRABAJO

1. ¿Cuál es la estructura más frecuente?

2. ¿Cuál es el tema más repetido?

3. ¿Cómo se presenta ese tema y por qué crees que sucede así?

4. ¿Cuáles son los personajes que aparecen en las jarchas?

5. ¿El léxico es fácil o difícil?

6. Las jarchas pertenecen al género lírico, ¿por qué?

7. ¿De qué modos se expresa en ellas el sentimiento?

Recursos en internet:
<http://www.virtual-spain.com/literatura_espanola-jarchas.html>
Martín Baños, Pedro (2006): «El enigma de las jarchas», *Per Abbat*, n.º 1, pp. 9-34. Disponible en: <http://scholar.google.es/scholar?cluster=16223084663224183722&hl=es&as_sdt=0,5>

2

LÍRICA TRADICIONAL

Denominamos lírica tradicional a un conjunto de creaciones poéticas anónimas, en lengua vulgar, que se transmitieron durante siglos. Son composiciones breves y muy intensas (algunas nos han llegado fragmentariamente) que se cantaban mientras se trabajaba en el campo o se realizaban labores domésticas, cuando se asistía a las romerías o en otras ocasiones de la vida cotidiana. El tema más abundante es el amoroso, en sus múltiples variantes: los enamorados que, tras pasar la noche juntos, deben separarse al amanecer, la inquietud ante el primer encuentro sexual, el goce amoroso, la ausencia o desaparición del amado, la falta de correspondencia amorosa, la malcasada (es decir, la que ha sido obligada a casarse con alguien a quien no ama), etc. En función del tema, reciben nombres diferentes, como albada, maya, canto de siega... Desde el punto de vista formal, son composiciones breves, de versos cortos y que suelen contar con un estribillo (es decir, la forma tradicional del villancico). La sencillez expresiva, junto con la intensidad emocional, son dos rasgos característicos de su estilo. Con el humanismo y el Renacimiento hubo un interés cada vez mayor por la lírica tradicional, de ahí que estas composiciones se recopilasen en cancioneros desde el siglo xv (en algunos casos se recogía también la partitura musical) que tuvieron mucha importancia en los poetas cultos del Renacimiento y del Barroco, quienes los imitaron y glosaron, iniciándose una corriente que llega hasta nuestros días pero que tuvo especial relevancia en los poetas del Grupo del 27.

I

En Ávila, mis ojos,
dentro en Ávila.

En Ávila del Río
mataron a mi amigo,
5 dentro en Ávila.

II

Que miraba la mar
la mal casada,
que miraba la mar
cómo es ancha y larga.

5 Descuidos ajenos[1]
y propios gemidos
tienen sus sentidos
de pesares llenos.

Con ojos serenos
10 la mal casada,
que miraba la mar
cómo es ancha y larga.

Muy ancho es el mar
que miran sus ojos,

1. Hace referencia a la desatención («descuido») del marido.

15 aunque a sus enojos
bien puede igualar.

Mas por se alegrar
la mal casada,
que miraba la mar
20 cómo es ancha y larga.

III

Al alba venid, buen amigo,[2]
al alba venid.

Amigo el que yo más quería,
venid al alba del día.

5 Amigo el que yo más amaba,
venid a la luz del alba.

Venid a la luz del día,
non traigáis compañía.

IV

Aprended, flores, en mí
lo que va de ayer a hoy,
que ayer maravilla fui,
y hoy sombra mía aun no soy.[3]

---

2. «Amigo» debe entenderse aquí como «amante», igual que en las jarchas.

3. Esta composición fue utilizada por Luis de Góngora en una letrilla dirigida al marqués de Flores de Ávila.

V

Dentro en el vergel[4]
moriré.
Dentro en el rosal
matarme han.

5 Yo m'iba, mi madre,
las rosas coger;
hallé mis amores
dentro en el vergel.
Dentro del rosal
10 Matarm'han.

PROPUESTAS DE TRABAJO

1. Señala los temas predominantes e identifica los siguientes: albada (composición en la que los amantes se han de separar por la llegada del alba) y canción de la malcasada.

2. ¿Por qué crees que se repite tanto el topónimo Ávila? ¿Qué sensación produce? Reflexiona sobre la brevedad y la repetición y su relación con la intensidad del sentimiento.

3. Identifica y explica los elementos simbólicos que aparecen.

4. Realiza un análisis formal de todas las composiciones, señala los rasgos que se repiten y explica su función.

---

4. Las rosas y el vergel constituyen habitualmente símbolos de la sexualidad, del mismo modo que la referencia a la muerte es también una alusión simbólica.

5. Compara estos poemas con las jarchas, y señala relaciones y diferencias.

Recursos complementarios:
Resulta del todo recomendable la audición de algunos de estos textos u otros similares. Hay muchas grabaciones en internet y en el mercado, pero citaré sólo la de Jordi Savall (1991): *El cancionero de Palacio (1474-1516)*, Audivis-Sociedad Estatal del Quinto Centenario.

3

CANTAR DE MIO CID

El *Cantar de Mio Cid* es el poema épico más importante de la literatura castellana. Se ha conservado casi íntegramente (3.730 versos irregulares asonantados, aunque muy probablemente falta la primera página), gracias a un manuscrito del siglo XIV que es copia de otro datado en 1207 (este último debió inspirarse en las composiciones surgidas poco después de los hechos narrados en el cantar). Al igual que otros cantares de gesta, el *Cantar de Mio Cid* es una obra anónima; su difusión se producía mediante los juglares (de ahí su adscripción al mester de juglaría), que habitualmente acompañaban su recitado con instrumentos musicales. Su protagonista, Rodrigo Díaz de Vivar, apodado el Cid, fue un personaje histórico que vivió entre 1043 y 1099, y puede decirse que es el primer gran héroe de la literatura española. El poema arranca con una injusticia cometida contra el Cid (el rey, sin motivo, le obliga a abandonar su tierra); a partir de entonces el Cid lucha por restablecer su honor y el reconocimiento del rey.

Para entender el estilo del *Cantar* debemos recordar su carácter de narración oral dirigida a un público muy diverso, donde lo que se busca es conmover, aproximar el tema a la audiencia y hacer que ésta entre plenamente en los hechos y en las escenas. De ahí recursos tales como el epíteto épico, la repetición, las apelaciones al auditorio, la alternancia de perspectivas narrativas (que motiva la mezcla de narración y diálogo), la viveza de las imágenes o la alternancia de escenas familiares con episodios bélicos. En este sentido, también debe destacarse el realismo del *Cantar de Mio Cid* (frente al carácter más fantástico de la épica francesa), así como la sobriedad de su estilo y su perfecta estructura, todo lo cual hacen de él una verdadera obra maestra de la literatura.

La obra se divide en tres partes (los tres fragmentos que se ofrecen a continuación corresponden a la primera y tercera partes): la primera se centra en el destierro (el abandono de su tierra y las primeras victorias); la segunda, en Valencia y las bodas de sus hijas: aquí se produce el perdón del rey y la propuesta de éste para que las dos hijas del Cid se casen con los infantes de Carrión. En la tercera y última parte (la afrenta de Corpes) tiene lugar el clímax: se narra la afrenta que sufren las hijas del Cid, la reparación de ese ultraje y las nuevas bodas de las hijas con nobles más importantes. El Cid termina restableciendo su honor y emparentando con la familia real, convirtiéndose así en un modelo de héroe que supera la adversidad gracias a la mesura, el optimismo y la tenacidad.

[El destierro, vv. 1-15][1]

De los sos ojos tan fuertemientre llorando,[2]
tornava la cabeça i estávalos catando.[3]

---

1. La causa del destierro del Cid debía de figurar en el primer folio del cantar (hoy perdido).

2. Esta expresión indica que el Cid llora en silencio, sin los gestos o voces con que solía ir acompañado el llanto en la época.

3. El Cid contempla las posesiones de las que va a tener que separarse obligatoriamente.

Vio puertas abiertas e uços sin cañados,[4]
alcándaras vázias, sin pielles e sin mantos,[5]
5 e sin falcones e sin adtores mudados.[6]
Sospiró mio Çid,[7] ca mucho avié grandes cuidados.
Fabló mio Çid, bien e tan mesurado:[8]
«¡Grado a ti, Señor Padre, que estás en alto!
»Esto me an buelto mios enemigos malos».[9]

10 Allí piensan de aguijar,[10] allí sueltan las riendas.
A la exida de Bivar ovieron la corneja diestra,
e entrando a Burgos oviéronla siniestra.[11]
Meçió mio Çid los ombros y engrameó la tiesta:[12]
«¡Albricia, Álbar Fáñez,[13] ca echados somos de tierra!
15 »Mas a grand ondra tornaremos a Castiella».

---

4. Puertas sin candados. El Cid deja las puertas abiertas porque se ha llevado todos sus bienes.

5. alcándara: percha en la que se posaban las aves de cetrería o se colgaba la ropa.

6. Son «azores mudados» porque ya han cambiado (mudado) la pluma y, por tanto, ya son aptos para la caza.

7. La palabra «Cid» proviene del árabe (*sidi*, «señor»), y la usaban los musulmanes para referirse a Rodrigo Díaz de Vivar.

8. La mesura (prudencia, moderación) es una de las virtudes principales del héroe épico y, en concreto, del Cid.

9. El Cid alude aquí a las estrategias urdidas por sus enemigos para motivar su destierro.

10. agujiar: espolear al caballo para que acelere su marcha.

11. La corneja a la derecha (diestra) y a la izquierda (siniestra) son dos augurios de signo contrario a la salida de su tierra natal (Vivar, donde nació el Cid, está a diez kilómetros de Burgos).

12. Este gesto puede entenderse al menos de dos maneras: o bien el Cid conjura el mal agüero o bien simplemente muestra que no cree en los agüeros.

13. albricia: es el regalo que se da a alguien por traer buenas noticias. Aquí el Cid muestra su optimismo y firme voluntad de luchar contra la adversidad. Álvar Fáñez fue un personaje histórico, pariente del Cid, que en el cantar aparece retratado como su más fiel consejero y vasallo.

(Con los ojos llenos de lágrimas, volvía la cabeza para
contemplarlos (por última vez). Y vio las puertas abiertas
y los postigos sin candados; vacías las perchas, donde
antes colgaban mantos y pieles, o donde solían posar los
5 halcones y los azores mudados. Suspiró el Cid, lleno de
tribulación, y al fin dijo así con gran mesura:

—¡Loado sea Dios! A esto me reduce la maldad de mis [enemigos.

10 Ya aguijan, ya sueltan la rienda. A la salida de Vivar
vieron la corneja al lado derecho del camino; entrando a
Burgos, la vieron por el lado izquierdo. El Cid se encoge
de hombros, y sacudiendo la cabeza:

—¡Albricias, Álvar Fáñez —exclama—; nos han desterrado,
15 pero hemos de tornar con honra a Castilla!)

[Fragmento de la conquista de Alcocer, vv. 715-777]

715 Enbraçan los escudos delant los coraçones,[14]
abaxan las lanças, abueltas de los pendones,[15]
enclinaron las caras, de suso de los arzones,[16]
ívanlos ferir de fuertes coraçones.

A grandes vozes llama[17] el que en buen ora nació:[18]
720 ¡feridlos, cavalleros, por amor del Criador!
¡Yo so Roy Díaz, el Çid de Bivar Campeador!
Todos fieren en el az[19] do está Pero Vermudoz.

---

14. Es decir, meten el brazo por el asa del escudo y se lo ponen ante el pecho.

15. pendón: bandera militar, más larga que ancha.

16. de suso: arriba; arzón: parte delantera de la silla de montar.

17. Se trata del grito de guerra para animar a sus guerreros, pero también para orientarles.

18. Este epíteto épico —«el que en buena hora nació»— se usa muy a menudo en el cantar para aludir al Cid.

19. az: hilera, grupo de soldados.

Trezientas lanças son, todas tienen pendones;
señós moros mataron, todos de señós colpes;[20]
725 a la tornada que fazen otros tantos muertos son.[21]

Veriedes[22] tantas lanças premer e alçar,
tanta adágara[23] foradar e passar,
tanta loriga[24] falssar e desmanchar,[25]
tantos pendones blancos salir vermejos en sangre,
730 tantos buenos cavallos sin sos dueños andar.
Los moros llaman Máfomat e los cristianos santi Yagüe.[26]
Cadién por el campo en un poco de logar
732b moros muertos mill e trezientos ya.

¡Quál lidia bien sobre exorado[27] arzón
mio Çid Ruy Diaz, el buen lidiador![28]
735 Minaya Álvar Fáñez, que Çorita mandó,
Martín Antolínez, el burgalés de pro,
Muño Gustioz, el que so criado fo,
Martín Muñoz, el que mandó a Mont Mayor,

---

20. Es decir, cada lanza mató un moro de un solo golpe.

21. O sea, en la segunda vuelta, matan la misma cantidad de moros. Estas descripciones de batallas son un rasgo común en toda la épica.

22. Este recurso al público es propio de la transmisión oral; con él pretende el juglar implicar a su auditorio.

23. adágara: escudo de cuero.

24. loriga: armadura para la defensa del cuerpo.

25. falsar e desmanchar: atravesar y romper.

26. Es decir, los moros piden ayuda a Mahoma y los cristianos al apóstol Santiago (porque, según la leyenda, en la batalla de Clavijo —datada en el año 844— se apareció el apóstol y ayudó a luchar contra los musulmanes).

27. exorado: dorado.

28. La enumeración de caballeros que sigue (algunos de los cuales son históricos y otros ficticios) es otro recurso típico de la épica (desde la Antigüedad clásica); cada caballero tiene un epíteto épico cuyas funciones son identificar mejor al personaje y permitir que el recitador descanse.

Álbar Álbaroz e Álbar Salvadórez;
740 Galín Garciaz, el bueno de Aragón,
Félez Muñoz, so sobrino del Campeador;
desí adelante, quantos que ý son,
acorren la seña e a mío Çid el Campeador.

A Minaya Álbar Fáñez matáronle el cavallo,
745 bien lo acorren mesnadas de cristianos.
La lança á quebrada, al espada metió mano,
maguer de pie, buenos colpes va dando.
Víolo mio Çid, Roy Díaz el Castellano,
acostós a un aguazil,[29] que tenié buen cavallo,
750 diol' tal espadada con el so diestro braço,
cortól' por la çintura, el medio echó en campo.[30]
A Minaya Álbar Fáñez, íval' dar el cavallo:
«¡Cabalgad, Minaya, vós sodes el mio diestro braço!
»Oy en este día de vos abré grand bando;
»firme' son los moros, aún nos' van del campo
755 »á menester que los cometamos de cabo».
Cabalgó Minaya, el espada en la mano,
por estas fuerças fuerte mientre lidiando,
a los que alcança valor delibrando.
Mio Çid Roy Díaz, el que en buena nasco,
760 al rey Fáriz[31] tres colpes le avié dado;
los dos le fallen, y el unol' ha tomado;[32]
por la loriga ayuso[33] la sangre destellando;
bolvió la rienda por írsele del campo.
Por aquel colpe rancado es el fonsado.[34]

29. aguacil: oficial del ejército musulmán.

30. Le dio tal golpe con el brazo derecho que lo partió por la mitad, cayendo al suelo la parte superior de su cuerpo.

31. Tanto Fariz como Galve son personajes ficticios.

32. Esto es: los dos golpes primeros le fallan, pero el tercero le alcanza.

33. ayuso: abajo.

34. rancado es el fonsado: el ejército árabe es vencido.

765 Martín Antolínez un colpe dio a Galve,
las carbonclas del yelmo[35] echógelas aparte,
cortól' el yelmo, que llegó a la carne;
sabet, el otro non gel' osó esperar.
Arrancado es el rey Fáriz e Galve;
770 ¡tan buen día por la cristiandad,
ca fuyen los moros della e della part!
Los de mio Çid firiendo en alcaz,
el rey Fáriz en Terrer se fo entrar,
e a Galve nol' cogieron allá;
775 para Calatayut quanto puede se va.
El Campeador íval' en alcaz,
fata Calatayut duró el segudar.[36]

715 (Embrazan frente a los pechos los escudos, enristran las lanzas, envuelven los pendones, se inclinan sobre los arzones con ánimo de acometer denodadamente.

El que en buen hora naciera dice a grandes voces:

720 —¡A ellos, mis caballeros, en el nombre de Dios! ¡Yo soy Ruy Díaz de Vivar, el Cid Campeador!

Todos dan sobre la fila en que está luchando Pedro Bermúdez. Son trescientas lanzas con pendones, y de sendos golpes mataron a trescientos moros. Al revolverse 725 cargan otra vez y matan otros trescientos.

Allí vierais subir y bajar tantas lanzas, pasar y romper tanta adarga, tanta loriga quebrantarse y perder las mallas, tantos pendones blancos salir enrojecidos de sangre, 730 tantos hermosos caballos sin jinete. Los moros invocan a Mahoma y los cristianos a Santiago. En poco trecho yacían por el campo no menos de mil trescientos moros.

¡Oh qué bien lidia, sobre dorado arzón, el Cid Ruy 735 Díaz, gran combatiente; oh qué bien Minaya Álvar Fáñez, el que tuvo mando en Zurita; Martín Antolínez, el

35. El yelmo podía estar adornado, como en este caso.
36. segudar: persecución.

ilustre burgalés, y Muño Gustioz, que fue su criado;
y Martín Muñoz, el que mandó en Monte Mayor; y Álvaro
740 Álvar, y Álvaro Salvadórez, y Galindo García el buen
aragonés, y Félix Muñoz, sobrino del Cid! Cuantos hay,
todos acuden en auxilio del Cid y de su enseña.

745 Las mesnadas de cristianos auxilian a Minaya Álvar
Fáñez, porque le han matado el caballo. También se le ha
roto la lanza, pero mete mano a la espada y, aunque
desmontado, va dando unos tajos furibundos. Violo el Cid
Ruy Díaz el castellano, y acercándose a un general moro
750 que traía un caballo excelente, tiróle un tajo con la diestra
que, cortándole por la cintura, le echó al suelo la mitad
del cuerpo. Después se acercó a Álvar Fáñez para darle el caballo.

—A caballo, Minaya. Vos sois mi brazo derecho. Hoy
necesito vuestra ayuda. Ved que los moros están firmes;
755 aún no los echamos del campo; fuerza es que acabemos con
[ellos.

Montó Minaya sin soltar la espada de la mano, y
siguió luchando denodadamente por entre las fuerzas enemigas:
a cuantos alcanza los deshace. En tanto, el bienhadado
Cid Ruy Díaz le lanza al emir Fáriz tres golpes:
760 dos le fallan, pero el tercero lo acierta, y escurre la
sangre por la loriga abajo. El emir volvió grupas, tratando de
abandonar el campo: de sólo aquel golpe queda derrotado el
[ejército.

765 Martín Antolínez asestó tan tremendo tajo al moro
Galve que le arranca los rubíes del yelmo y, partiendo el
yelmo, entra en la carne. No quiso esperar el emir el
segundo golpe. Derrotados están los emires Fáriz y Galve:
770 gran día para la cristiandad, que ya de una y otra parte
huyen los moros.

Al alcance los van atacando los del Cid. El emir Fáriz
se refugió en Terrer, y a Galve no lo quisieron recibir, por
lo que huye hacia Calatayud a toda rienda. El Campeador
775 le sigue de cerca, y la persecución continúa hasta Calatayud.)

[Fragmento de la afrenta de Corpes, vv. 2689-2762]

Ya movieron[37] del Anssarera ifantes de Carrión;
2690 acojénse a andar de día e de noch;
a siniestro dexan Atiença, una peña muy fuort,
la sierra de Miedes passáronla estoz,[38]
por los Montes Claros aguijan a espolón.[39]
A siniestro dexan a Griza, que Alamos pobló,
2695 allí son caños do a Elfa ençerró;[40]
a diestro dexan a Sant Estevan, más cade aluón.[41]
Entrados son los ifantes al robledo de Corpes,
los montes son altos, las ramas pujan con las nuoves;
elas bestias fieras que andan aderrededor.
2700 Fallaron un vergel con una linpia fuont,
mandan fincar la tienda ifantes de Carrión;
con quantos que ellos traen, í yazen essa noch,
con sus mugieres en braços demuéstranles amor;
¡mal gelo cunplieron quando salié el sol! [42]
2705 Mandaron cargar las azémilas con averes a nombre,
cogida han la tienda do albergaron de noch,
adelant eran idos los de criazón:[43]
assí lo mandaron ifantes de Carrión,
que non í fincás ninguno, mugier nin varón,
2710 si non amas sus mugieres doña Elvira e doña Sol:
deportar se[44] quieren con ellas a todo su sabor.
Todos eran idos, ellos quatro solos son,
tanto mal comidieron ifantes de Carrión:
«Bien lo creades don Elvira e doña Sol,

37. Ya se fueron.
38. estoz: entonces.
39. aguijan a espolón: van rápidamente.
40. Se alude aquí a una leyenda sobre el origen de la población, según la cual Álamos encerró a Elfa. En cualquier caso, la alusión contribuye a crear una atmósfera de misterio.
41. aluón: a lo lejos.
42. Anticipación de los hechos, habitual en la épica.
43. los de criazón: el séquito de criados.
44. deportarse: gozar.

2715 »aquí seredes escarnidas[45] en estos fieros montes.
»Oy nos partiremos, e dexadas seredes de nós;
»non abredes part en tierras de Carrión.
»Hirán aquestos mandados al Çid Campeador;
»nos vengaremos aquesta por la del león».[46]
2720 Allí les tuellen[47] los mantos e los pelliçones,[48]
páranlas en cuerpos y en camisas y en çiclatones.[49]
Espuelas tienen calçadas los malos traydores,
en mano prenden las çinchas fuertes e duradores.
Quando esto vieron las dueñas,[50] fablava doña Sol:
2725 «¡Por Dios vos rogamos. don Diago e don Ferrando, nos!
»Dos espadas tenedes fuertes e tajadores,
»al una dicen Colada e al otra Tizón,[51]
»cortandos las cabeças, mártires seremos nós.[52]
»Moros e cristianos departirán desta razón,
2730 »que por lo que nós mereçemos, no lo prendemos nós.
»Atán malos enssienplos[53] non fagades sobre nós:
»si nós fuéremos majadas,[54] abiltaredes a vós;
»retraer vos lo an en vistas o en cortes».[55]
Lo que ruegan las dueñas non les ha ningún pro.[56]
2735 Essora les conpieçan a dar ifantes de Carrión;
con las çinchas corredizas, májanlas tan sin sabor;
con las espuelas agudas, don ellas an mal sabor;

45. escarnidas: deshonradas, escarnecidas.

46. Así nos vengaremos de la del león (alusión a un episodio anterior, en que los soldados del Cid se burlan de la cobardía de los infantes ante un león que se escapa de su jaula).

47. tuellen: quitan.

48. pelliçones: vestidos.

49. ciclatones: vestidura de lujo medieval.

50. dueñas: señora (del latín *domina*).

51. La Tizona y la Colada eran dos espadas que el Cid había ganado combatiendo y que regaló a sus yernos.

52. Serán mártires porque morirán sin merecerlo.

53. Aquí la expresión vale por «tan malas crueldades».

54. majadas: golpeadas.

55. Os lo retraerán en un juicio.

56. pro: beneficio.

ronpién las camisas e las carnes a ellas amas a dos;
linpia salie la sangre sobre los çiclatones.
2740 Ya lo sienten ellas en los sos coraçones.
¡Quál ventura serié esta, si ploguiesse al Criador,
que assomasse essora el Çid Campeador!
Tanto las majaron que sin cosimente[57] son;
sangrientas en las camisas e todos los ciclatones.
2745 Canssados son de ferir ellos amos a dos,
ensayandos' amos[58] quál dará mejores colpes.
Hya non pueden fablar don Elvira e doña Sol;
por muertas las dexaron en el robledo de Corpes.

Leváronles los mantos e las pieles armiñas,
2750 mas déxanlas marridas en briales y en camisas,
e a las aves del monte e a las bestias de fiera guisa.
Por muertas las dexaron, sabed, que non por bivas.
¡Quál ventura serié, si assomas' essora el Çid Roy Díaz!
2754-5 Ifantes de Carrión por muertas las dexaron,
que el una a la otra nol' torna recabdo.[59]
Por los montes do ivan, ellos ívanse alabando:
«De nuestros casamientos agora somos vengados.
2759-60 »Non las deviemos tomar por [varraganas, si non fóssemos rogados,[60]
»pues nuestras parejas non eran pora en braços.[61]
»¡La desondra del león assís' irá vengando!».

57. cosimiento: conocimiento.
58. Compitiendo ambos.
59. No se pueden ayudar la una a la otra.
60. Quiere decir que no las debían haber tomado ni como acompañantes, salvo que alguien hubiese insistido en ello.
61. Su posición social era inferior a la nuestra, dicen los infantes.

(Los infantes de Carrión abandonan el Ansarera, y andan
2690 de día y de noche. A la izquierda dejan Atienza, la
fuerte peña, pasan la sierra de Miedes, y pican espuelas
por Montes Claros; a la izquierda, dejan a Griza, la que
2695 poblara Álamos; allí están las cuevas donde tuvo a Elfa
encerrada. A la derecha, más adelante, está San Esteban
(de Gormaz). Ya entran en el robledal de Corpes: bosques
altísimos, cuyas ramas suben hasta las nubes, y rondados
2700 por abundantes fieras. Allí encontraron un vergel y
una limpia fuente, y mandaron plantar la tienda. Allí reposaron
esa noche los infantes y sus compañeros. Los infantes,
con sus mujeres en los brazos, les dan muchas
muestras de amor. ¡Qué mal lo habían de mantener al siguiente
[día!
2705 Mandaron cargar las acémilas con los numerosos fardos,
recoger la tienda que los albergara aquella noche; y
echaron por delante a sus criados y familiares; porque
han ordenado que no se quede nadie con ellos, hombre ni
2710 mujer, sino sus esposas doña Elvira y doña Sol, con quienes
desean solazarse sin testigos.
Todos se han ido ya: los cuatro están solos. Allí los infantes
de Carrión meditan maldades:
2715 —Doña Elvira, doña Sol: creedlo. Aquí vais a ser escarnecidas
en estos ariscos montes. Hoy mismo nos marcharemos
y os dejaremos aquí abandonadas. No; no tendréis
vosotras parte en la tierra de nuestro condado. Las
nuevas llegarán al Cid, y así nos pagará la mala pasada del león.
2720 Quítanles los mantos y pieles, déjanlas en cuerpo con
sólo la camisa y el brial. Los negros traidores llevan las
espuelas calzadas, y han echado mano a las ásperas cinchas.
Cuando esto vieron las damas, dice doña Sol:
2725 —Don Diego, don Fernando: os lo pedimos por Dios.
Tenéis dos espadas fuertes y tajantes: a aquélla le llaman
Colada; a ésta Tizona. Cortadnos las cabezas; seremos
mártires. Moros y cristianos irán diciendo que no lo hemos
2730 merecido nosotras. Pero no cometáis tan gran crueldad;
no nos ultrajéis, que no ganaréis más que envileceros,

y os lo demandarán en vistas o en cortes.
2735 No aprovechan a las damas sus ruegos. Los infantes de
Carrión comienzan a golpearlas. Sin compasión descargan
sobre ellas las cinchas corredizas y las espolean
donde más les duela. Así les rasgan las camisas y con
ellas las carnes; escurría, tiñendo los briales, la hermosa
2740 sangre. Ya muerde el dolor sus corazones. ¡Oh, sin igual
ventura, si pluguiese al cielo que apareciese de pronto el
[Cid Campeador!
Tanto las maltratan, que yacen desfallecidas, ensangrentadas
2745 las camisas y paños. Ya se han hartado ellos de
herirlas, probando a cuál pegaría mejor. Ya doña Elvira y
doña Sol no pueden hablar. Por muertas las dejan en el
[robledo de Corpes.
Las han despojado de sus mantos y sus pieles de armiño;
2750 yacen, las tristes, sin más abrigo que los briales y
las camisas, expuestas miserablemente a las aves del
monte y a la voracidad de las fieras; por muertas las dejaron,
que no por vivas. ¡Oh, sin igual ventura, si asomara
[ahora el Cid Ruy Díaz!
2755 Los infantes de Carrión déjanlas por muertas, que ya
ni la una ni la otra puede hablar. Y ellos se iban alabando
[por el camino:
—Ahora sí que estamos vengados del casamiento. Aun
2760 por barraganas no debimos tomarlas, ni aun rogados.
Para mujeres legítimas no son nuestras pares. Ya vamos
vengando la mala pasada del león.)

PROPUESTAS DE TRABAJO

Conviene, en primer lugar, realizar una lectura en voz alta (y, a ser posible, con la pronunciación medieval), con el fin de acercar al alumno a la época precisamente a través de la lengua. En este sentido, también sería muy interesante poder realizar la audición de la versión musical a cargo de Antoni Rossell. De este modo el alumno toma conciencia en primer lugar de la evolución de la lengua, a la par que la lectura del texto sirve también para adentrarle en los problemas de la fluctuación ortográfica y comprende lo que significa una época anterior a la fijación de la ortografía y la gramática.

1. A partir de la lectura de los primeros versos, reflexiona sobre la actitud del Cid ante la injusticia que se ha cometido con él. ¿Cuáles son las características principales del héroe? Señala la que consideres más importante y razona tu respuesta.

2. Separa por áreas temáticas los aspectos tratados en estos fragmentos y reflexiona sobre los intereses del público al que iban destinados.

3. ¿Qué funciones tienen la enumeración de los soldados, la descripción pormenorizada de la batalla y el epíteto épico?

4. ¿Qué caracterización se hace de los infantes de Carrión? ¿Y de las hijas del Cid?

5. Destaca los elementos que muestran la transmisión oral del texto.

6. Señala qué recursos propios de la épica aparecen.

7. Indica qué elementos reales y ficticios hay en estos fragmentos.

8. Busca referentes pictóricos inspirados en algunos de los pasajes recogidos.

9. Relaciona la figura del Cid con la de otros héroes épicos medievales.

Recursos en internet:
<http://lecture.ecc.u-tokyo.ac.jp/~cueda/gakusyu/cid/>
Este enlace incluye fotografías del manuscrito conservado en la Biblioteca Nacional de Madrid. El texto y las notas proceden de la edición de Ramón Ménendez Pidal (1976): *Cantar de Mio Cid.*

Recursos audiovisuales:
Rico, Francisco (1994): *El «Cantar de Mio Cid» y la transmisión de la épica medieval*, Crítica, Barcelona. Se trata de un vídeo de quince minutos de duración sobre la transmisión de la épica medieval acompañado por un folleto explicativo.
Rossell, Antoni (1996): *El Cantar de Mio Çid,* Tecnosaga, Madrid. Incluye un folleto informativo con texto de F. Rico y A. Rossell, así como una selección bibliográfica.

4

ROMANCERO VIEJO

Los romances son composiciones en verso normalmente octosilábico, difundidas oralmente. Se caracterizan por la sencillez del vocabulario y el carácter narrativo. Tuvieron un enorme éxito desde el siglo XIV, y han llegado prácticamente hasta nuestros días. Una característica fundamental del romancero es que vive en la variante, es decir, el pueblo los memoriza, los repite y en consecuencia los altera, de ahí que podamos hallar muchas versiones de un mismo romance. Al comienzo los romances trataban sobre todo de asuntos bélicos, pero poco a poco su área temática se fue ampliando, para incluir desde leyendas bíblicas y asuntos de la Antigüedad grecolatina a sucesos históricos recientes (son los llamados romances noticieros), pasando por aventuras caballerescas, lances amorosos o asuntos fronterizos; de ahí que a menudo los romances se clasifiquen en función de los temas que tratan. Otra característica determinante del romancero es el fragmentarismo, es decir, pueden empezar *in medias res* o bien interrumpirse de forma abrupta; este recurso permite que el lector se encuentre prendido, atrapado, y que participe más del texto al completarlo con su propia imaginación. Un ejemplo evidente al respecto es el primero de los romances aquí presentados.

Se conoce como «romancero viejo» al conjunto de romances anónimos más antiguo que tenemos. Pero desde finales del siglo XV el romancero da un salto importante del ámbito popular al culto: las composiciones que hasta entonces circulaban solo oralmente son compiladas en cancioneros, muchos de los cuales recogen también la notación musical (recordemos que la mayoría de estos romances eran cantados por el pueblo) y los poetas cultos las imitan, componiendo lo que se conoce como «romancero nuevo». Este interés por la recreación del romance ha llegado hasta nuestros días.

ROMANCE DEL CONDE ARNALDOS

¡Quién hubiera tal ventura[1]
sobre las aguas del mar,
como hubo el conde Arnaldos
la mañana de san Juan![2]
5 Yendo a buscar la caza
para su falcón cebar,
vio venir una galera
que a tierra quiere llegar.
Las velas trae de seda,
10 jarcias de oro torzal,[3]
áncoras tiene de plata,
tablas de fino coral.
Marinero que la guía
diciendo viene un cantar,
15 que la mar ponía en calma,
los vientos hace amainar,
las aves que van volando
al mástil vienen posar,
los peces que andan al fondo
20 arriba los hace andar.

---

1. ventura: suerte. La palabra está estrechamente relacionada con los libros de caballerías, donde el caballero va a la ventura.
2. La mañana de san Juan, fecha del solsticio de verano, tiene resonancias mágicas ancestrales, que el cristianismo «culturizó», cubriendo el sustrato pagano con una referencia religiosa.
3. Las velas (jarcias) están atadas por cuerdas de oro.

Allí habló el infante Arnaldos
bien oiréis lo que dirá:
—Por tu vida el marinero
dígasme ahora ese cantar.
25 Respondiole el marinero
tal respuesta le fue a dar:
—Yo no digo mi canción
sino a quien conmigo va.

ROMANCE DE LA JURA DE SANTA GADEA[4]

En Santa Gadea de Burgos,
do juran los hijosdalgo,[5]
allí toma juramento
el Cid al rey castellano,
5 si se halló en la muerte
del rey don Sancho su hermano.[6]
Las juras eran tan recias,
el rey no las ha otorgado:[7]
—Villanos[8] te maten, Alfonso,
10 villanos, que no hidalgos,
de las Asturias de Oviedo,
que no sean castellanos;
si ellos son de León,
yo te los dó por marcados;
15 cavalleros vayan en yeguas,
en yeguas, que no en cavallos;
las riendas traigan de cuerda,

4. El romance relata un hecho ficticio (aunque durante mucho tiempo se tuvo por histórico) que pretende justificar el destierro del Cid.

5. hijosdalgo: hidalgos (nobles de bajo rango).

6. Es decir, el Cid pregunta al rey si tuvo implicación en la muerte de su hermano don Sancho.

7. Esto es, el rey decide no aceptar la jura, porque le parece excesiva.

8. villanos: los que no son nobles y viven en la villa (de ahí viene también la palabra «villancico»), lo cual supone una ofensa y una degradación.

y no con frenos dorados;
abarcas[9] traigan calzadas,
20 que no çapatos con lazo;
las piernas traigan desnudas,
no calças de fino paño;
trayan capas aguaderas,
no capuzes ni tavardos[10]
25 con camisones de estopa,
no de holanda, ni labrados;
mátente con aguijadas,[11]
no con lanzas ni con dardos;
con cuchillos cachicuernos,[12]
30 no con puñales dorados;
mátente por las aradas,
no por caminos hollados;
sáquente el coraçón
por el derecho costado,
35 si no dizes la verdad
de lo que te es preguntado,
si tú fuiste o consentiste
en la muerte de tu hermano.
Allí respondió el buen rey,
40 bien oiréis lo que ha hablado:
—Mucho me aprietas, Rodrigo,
Rodrigo, mal me has tratado;
mas hoy me tomas la jura,
cras[13] me besarás la mano.
45 Allí respondió el buen Cid,
como hombre muy enojado:

---

9. abarca: calzado humilde, de campesino.

10. capuces: capas largas, de gala; tabardos: ropón blasonado, usado todavía por los maceros de las Cortes.

11. aguijada: vara larga con una pieza de hierro en la punta, para aguijar o pinchar a los bueyes.

12. cachicuerno: con el mango hecho de cuerno, es decir, como el que llevaban los pastores.

13. cras: mañana.

—Aqueso será, buen rey,
como fuere galardonado;
que allá en las otras tierras
50 dan sueldo a los hijosdalgo.
Por besar mano[14] de rey
no me tengo por honrado;
porque las besó mi padre
me tengo por afrentado.
55 —Vete de mis tierras, Cid,
mal caballero probado,
vete, no m'entres en ellas
dende este día en un año.
—Pláceme —dijo el buen Cid—,
60 —pláceme —dijo— de grado,
por ser la primera cosa
que mandas en tu reinado.
Tú me destierras por uno,
yo me destierro por cuatro.
65 Ya se partía el buen Cid,
de Bivar, esos palaçios.
Las puertas dexa cerradas
los alamudes[15] echados,
las cadenas dexa llenas
70 de podencos y de galgos.
Con el leva sus halcones,
los pollos y los mudados.
Con él van çien cavalleros,
todos eran hijosdalgo;
75 los unos ivan a mula;
y los otros a cavallo;
por una ribera arriba
al Cid van acompañando;
acompañando ivan
80 mientras él iva caçando.

---

14. Besar la mano forma parte del vínculo del vasallaje establecido entre el señor feudal y su vasallo.

15. alamud: pasador o cerrojo para asegurar puertas y ventanas.

PROPUESTAS DE TRABAJO

ROMANCE DEL CONDE ARNALDOS

1. Analiza formalmente el poema y relaciona su estructura interna con el efecto que provoca y con la presencia del elemento mágico.

2. Señala en qué lugares se produce la narración, la descripción y el diálogo, y qué función desempeñan.

3. Destaca los recursos propios de la transmisión oral que podemos identificar en el poema.

4. Señala qué significado tienen para ti los versos finales, y busca información sobre las diversas interpretaciones que se han dado a lo largo de la historia a estos enigmáticos versos y al conjunto del poema.

ROMANCE DE LA JURA DE SANTA GADEA

1. Realiza un análisis formal del romance (métrica, expresión y estructura).

2. Señala a qué grupo crees que pertenece.

3. ¿Predomina más la narración, la descripción o el diálogo? ¿Cuál crees que es la causa?

4. Este romance tiene una estrecha relación con el *Cantar de Mio Cid:* busca información al respecto y señala las concomitancias formales y de contenido.

5. Compara la actitud y la descripción del Cid en este romance con la que aparece en el *Cantar.*

6. Señala cuál es el tema principal del texto y de qué modo se expresa el contraste entre los personajes.

Recursos en internet:
<http://depts.washington.edu/hisprom/espanol/ballads/>.
<http://www.cervantesvirtual.com/servlet/SirveObras/mcp/02404953322682839644424/index.htm>.

Recursos complementarios:

Carril Ramos, Ángel (1991): *Romancero panhispánico. Antología sonora*, SAGA, Madrid (contiene cinco cd).
Díaz-Mas, Paloma (ed.) (1993): *Romancero*, Crítica, Barcelona (contiene un cd).
Fraile Gil, José Manuel (2010): *Antología sonora del romancero tradicional panhispánico*, II, Cantabria Tradicional, Torrelavega.

5

JUAN RUIZ, ARCIPRESTE DE HITA, *LIBRO DE BUEN AMOR*

Esta obra maestra de la literatura castellana, escrita hacia 1343, es el mejor ejemplo de la evolución del mester de clerecía y constituye, por su originalidad, un hito en la lírica europea medieval. Aunque es obra de autor conocido, firmada por Juan Ruiz (1248-1351), en realidad es muy poco lo que sabemos de su autor: que fue arcipreste de Hita (provincia de Guadalajara) y que además escribía canciones para juglares. El título del libro deja bien claro el tema amoroso del mismo. El objetivo es prevenir contra los peligros que se esconden tras el amor humano (aunque al final esta hipótesis resulte ambigua). Para alcanzar ese objetivo, a lo largo de más de siete mil versos su autor se sirve de un eje vertebrador supuestamente autobiográfico: la narración de una serie de aventuras amorosas que muestran la voracidad sexual del protagonista, sazonadas con materiales muy heterogéneos, que van desde las digresiones morales a los episodios cargados de comicidad, pasando por cánticos de alabanza o fábulas. La mezcla alcanza a géneros y estilos, y también a la actitud del autor, que va desde el canto a los placeres de la vida al fervor religioso (es decir, se yuxtaponen lo profano y lo sagrado, lo cómico y lo serio). Y todo ello con una mezcla de lenguaje culto y coloquial que da enorme vivacidad al libro. Su autor muestra tener una amplia cultura clásica y hace gala, desde el prólogo, de la ambigüedad e insiste en la importancia del lector, que es quien debe descifrar el verdadero objetivo de la obra.

LIBRO DE BUEN AMOR

[Cuadernas 653-656]: *Aquí dize de cómo fue fablar con doña Endrina el Arçipreste*

653 ¡Ay Dios, e quán fermosa viene doña Endrina por la plaça!
¡Qué talle, qué donayre,[1] qué alto cuello de garça!
¡Qué cabellos, qué boquilla, qué color, que buenandança!
Con saetas de amor fiere quando los sus ojos alça.

654 Pero tal lugar non era para fablar en amores;
a mí luego me vinieron muchos miedos e temblores:
los mis pies e las mis manos non eran de sí señores,
perdí seso, perdí fuerza, mudáronse mis colores.

655 Unas palabras tenía pensadas por le dezir,
el miedo de las compañas me fasíen al departir,[2]
apenas me conosçía nin sabía por dó ir,
con mi voluntat mis dichos non se podían seguir.

656 Fablar con muger en plaça es cosa muy descobierta,
a bezes mal perro atado tras mala puerta abierta,[3]
bueno es jugar fermoso, echar alguna cobierta,[4]
adó[5] es lugar seguro, es bien fablar cosa çierta.

---

1. donaire: gracia.
2. El miedo a la gente me obligaba a hablar de otras cosas.
3. Alude a que tras una puerta abierta, alguien que vigila puede escuchar la conversación.
4. jugar fermoso: hablar con gracia; echar alguna cobierta: encontrarse con la dama de modo discreto (cubierto).
5. adó: donde.

[Cuadernas 697-701]

697 Busqué trotaconventos[6] qual me mandó el Amor,
de todas las maestras escogí la mejor;
Dios e la mi ventura, que me fue guiador,
açerté en la tienda del sabio corredor.[7]

698 Fallé una tal vieja qual avía menester,[8]
artera[9] e maestra e de mucho saber;
doña Venus por Pánfilo non pudo más fazer[10]
de quanto fiso aquésta por me fazer plazer.

699 Era vieja buhona[11] destas que venden joyas:
éstas echan el laço, éstas cavan las foyas,[12]
non hay tales maestras como éstas viejas troyas,[13]
éstas dan la maçada:[14] si as orejas, oyas.

700 Como lo han de uso estas tales buhonas,
andan de casa en casa vendiendo muchas donas,
non se reguardan d'ellas, están con las personas,
fasen con el mucho viento andar las atahonas.[15]

---

6. trotaconventos: alcahueta, celestina.

7. corredor: era el soldado encargado de adelantarse para explorar el campo de batalla (aquí se hace referencia a la alcahueta).

8. qual avía menester: de la que tenía necesidad.

9. artera: astuta.

10. Referencia al *Pamphilus*, comedia anónima latina del siglo XII, que se llegó a atribuir a Ovidio.

11. buhona: que ejerce la venta ambulante.

12. foyas: agujeros cavados por los cazadores para atrapar una presa.

13. troya: puede hacer alusión al hecho de encubrir las intenciones (en alusión al caballo de Troya), pero no es una interpretación clara.

14. maçada: golpe.

15. Alusión figurada a que las alcahuetas, con sus acciones, avivan el fuego (las tahonas son hornos de pan).

701 Desque fue en mi casa esta vieja sabida,
díxele: «Madre señora, tan bien seades venida,
en vuestras manos pongo mi salud e mi vida,
si vos non me acorredes,[16] mi vida es perdida».

[Cuadernas 878-882]

878 «Quando yo salí de casa, pues que veíades las redes,
¿por qué fincávades[17] con él sola entre estas paredes?
A mí non rebtedes,[18] fija, que vos lo meresçedes,
el mejor cobro que tenedes, vuestro mal que lo calledes.

879 »Menos de mal será que esto poco çeledes[19]
que non que vos descobrades, et ansí vos pregonedes:
casamiento que vos venga por esto non lo perderedes,
mejor me paresçe esto que non que vos enfamedes.[20]

880 »E pues que vos dezides, que es el daño fecho,
defiéndavos e ayúdevos a tuerto e a derecho,
fija, a daño fecho aved ruego e pecho:[21]
callad, guardat la fama, non salga de so techo.

881 »Si non parlase la picaça[22] más que la codornís,
non la colgarían en plaza, nin reirían de lo que diz:
castigadvos,[23] amiga, de otra tal contrariz,[24]
que todos los omes fazen como don Melón Ortiz.»[25]

---

16. acorredes: socorrer.
17. fincávades: os quedabais.
18. A mí non rebtedes: a mí no me reprendas.
19. celedes: encubras.
20. enfamedes: perdais la fama.
21. Equivale a decir: «a lo hecho, pecho».
22. picaza: urraca.
23. castigadvos: seguid el consejo.
24. contrariz: contrariedad.
25. Don Melón Ortiz es don Melón de la Huerta, álter ego del Arcipreste y pretendiente de doña Endrina.

882 Doña Endrina le dixo: «¡Ay, viejas tan perdidas!
a las mugeres traedes engañadas, e vendidas:
ayer mil cobros me dabas, mil artes e mil salidas,
hoy, que só escarnida, todas me son fallesçidas».[26]

[Cuadernas 950-971]: *De cómo el arçipreste fue a provar la sierra e de lo que le contesçió con la serrana*

950 Provar todas las cosas, el Apóstol lo manda:[27]
fui a provar la sierra, e fiz loca demanda;
luego perdí la mula, non fallava vianda,[28]
quien más de pan de trigo busca,[29] sin seso anda.

951 ¡El mes era de março, día de Sant Meder,[30]
pasado de Loçoya[31] fui camino prender;
de nieve e de granizo non ove do me asconder:[32]
quien busca lo que non pierde, lo que tiene deve perder.

952 En çima deste puerto vine en gran rebata:[33]
fallé una vaqueriza[34] çerca de una mata;
preguntele quién era, respondiome: «¡la Chata!:[35]
yo só la chata rezia, que a los omnes ata».

---

26. escarnida: deshonrada; fallesçidas: desaparecidas.
27. Alude a san Pablo (Tesalonicenses, I, V, 21: «examínenlo todo y quédense con lo bueno»).
28. vianda: alimento.
29. Quien busca más de lo necesario, está loco.
30. El 3 de marzo.
31. Lozoya: provincia de Segovia.
32. No tuve dónde refugiarme.
33. rebata: aprieto.
34. vaqueriza: mujer dedicada al cuidado de las vacas, vaquera.
35. chata: serrana.

953 «Yo guardo el portadgo[36] e el peage cojo;
el que de grado me paga, non le fago enojo,
el que non quiere pagar, priado[37] lo despojo;
págame, si non verás commo trillan rastrojo.»

954 Detóvome el camino, commo era estrecho,
una vereda angosta, vaqueros la avían fecho;
desque me vi en coita,[38] arrezido,[39] maltrecho,
«Amiga», díxel', «amidos fase el can barvecho».[40]

955 «Dexame passar, amiga, darte he joyas de sierra:
si quieres, dime quáles usan en esta tierra,
ca segund diz la fabla,[41] quien pregunta non yerra,
e por Dios dame posada, que el frío me atierra.»

956 Respondiome la chata: «Quien pide non escoge;
promete qué quiera e faz que non me enoje;
non temas, si.m das algo, que la nieve mucho te moje;
conséjote que te abengas antes que te despoje».

957 Como dize la vieja, quando bebe su madexa:[42]
«Comadre, quien más non puede, amidos[43] morir se dexa».
Yo, desque me vi con miedo, con frío e con quexa,
mándele prancha[44] con broncha,[45] e con çorrón[46] de coneja.

36. portadgo: impuesto que se debe pagar al pasar por un lugar determinado de un camino.
37. priado: al momento.
38. coita: ansia, desventura.
39. arrecido: con mucho frío.
40. Refrán: el perro en el barbecho siempre está por obligación.
41. fabla: dicho.
42. Cuando chupa el hilo al hilar.
43. amidos: de mala gana.
44. prancha: adorno para el cuello.
45. broncha: broche.
46. çorrón: zurrón.

958 Echome a su pescueso por las buenas respuestas,
e a mí non me pesó porque me llevó a cuestas:
escusome de pasar los arroyos e las cuestas.
Fiz de lo que y[47] passó las coplas de yuso puestas.

CÁNTICA DE SERRANA

959 Pasando una mañana
por el puerto de Malangosto[48]
salteome una serrana
a la asomante de un rostro:[49]
«Fademaja»,[50] dis' «¿dónde andas?
¿Qué buscas o qué demandas
por aqueste puerto angosto?».

960 Díxele yo a la pregunta:
«Vome fazia Sotosalvos».[51]
Diz: «El pecado te barrunta
en fablar verbos tan bravos,[52]
que por esta encontrada,[53]
que yo tengo guardada,
non pasan los omnes salvos».

961 Paróseme en el sendero
la gafa roín [e] heda:[54]
«A la he», diz, «escudero,[55]
aquí estaré yo queda:

47. y: allí.
48. Malangosto está cerca de Lozoya.
49. Al subir a la cima de una peña.
50. Hola, maja.
51. Sotosalvos: aldea de la provincia de Segovia.
52. El diablo va tras de ti, porque hablas muy atrevidamente.
53. encontrada: lugar.
54. gafa: deforme; roín: mezquina; heda: fea.
55. escudero: alusión despectiva, porque es persona sin nobleza.

fasta que algo me prometas:
por mucho que te arremetas[56]
non pasarás la vereda».

962 Díxele yo: «¡Por Dios, vaquera,
non me estorves mi jornada,
tuelte e dame carrera,[57]
que non trax para ti nada».
Ella diz: «Dende te torna,
por Somosierra trastorna,[58]
que non avrás aquí posada».

963 La Chata endïablada,
¡que Sant Illán[59] la confonda!
Arrojóme la cayada
e rodeóme la fonda,[60]
enaventóme el pedrero,[61]
diz: «¡Par el Padre verdadero,
tú me pagarás hoy la ronda!».[62]

964 Fazía nieve e granizava.
Díxome la Chata luego,
fascas[63] que me amenazava:
«Págam', si non, verás juego».[64]
Díxel' yo: «Par Dios, fermosa,
dezirvos he una cosa:
más querría estar al fuego».

---

56. arremetas: ataques.
57. Quítate y déjame libre el camino.
58. trastorna: da la vuelta.
59. San Julián era el patrón de los caminantes.
60. Me arrojó su honda.
61. Me lanzó la piedra.
62. Me lo vas a pagar.
63. fascas: casi.
64. verás juego: verás hasta dónde puedo llegar.

965 Diz: «Yo te levaré a casa,
e mostrarte he el camino,
fazerte he fuego, e brasa,
darte he del pan e del vino.
¡Alaúd!,[65] prométeme algo,
e tenerte he por fidalgo.[66]
¡Buena mañana te vino!».

966 Yo, con miedo e arrezido
prometil una garnacha,[67]
e mandél[68] para el vestido
una broncha e una prancha.
Ella diz: «D'oy más, amigo,
Anda acá, trota conmigo,
non ayas miedo al escacha».[69]

967 Tomome rezio por la mano,
en su pescueço me puso
como a çurrón[70] liviano,
e levom' la cuesta ayuso:[71]
«¡Hadeduro![72] Non te espantes,
que bien te daré qué yantes,
como es de la sierra uso».

968 Púsome mucho aína[73]
en una venta con su enhoto,[74]
diome foguera de enzina,

65. alaúd: por favor.
66. Te consideraré alguien de importancia (como un hidalgo).
67. garnacha: vestido largo, a modo de abrigo.
68. mandél: le confirmé.
69. escacha: escarcha.
70. çurrón: zurrón, bolsa de cuero.
71. y me llevó cuesta abajo.
72. hadeduro: pesado.
73. aína: prisa.
74. enhoto: confianza.

mucho gaçapo de soto,[75]
buenas perdiçes asadas,
fogaças[76] mal amasadas,
et buena carne de choto,[77]

969 de buen vino un quartero,[78]
manteca de vacas mucha,
mucho queso asadero,
leche, natas e una trucha;
dize luego: «¡Hadeduro!,
comamos d'este pan duro;
después faremos la lucha».[79]

970 Desque fui un poco estando,
fuime desatiriziendo,[80]
como me iva calentando,
ansí me iva sonriendo;
oteome[81] la pastora,
dis': «¡Ya, compañón! Agora,
creo que vo entendiendo».[82]

971 La vaqueriza traviessa
diz: «Luchemos un rato;
liévate dende apriesa,
desvuélvete de aqués hato».[83]
Por la muñeca me priso,
ove de fazer quanto quiso:
creet que fiz buen barato.[84]

---

75. gazapo de soto: conejo de monte.
76. fogaça: hogaza.
77. choto: cabrito.
78. quartero: cuartillo (unidad de medida).
79. Alusión al acto sexual.
80. desatiriziendo: dejando de estar aterido, yéndose el frío.
81. oteome: me miró.
82. Creo que voy entendiendo lo que quieres.
83. Desnúdate.
84. Creedme, hice buen negocio.

PROPUESTAS DE TRABAJO

CUADERNAS 653-656

1. Realiza un análisis formal de la composición y señala la estructura del texto.

2. Detente en el análisis del nombre de los personajes.

3. Analiza la reacción del yo poético frente a doña Endrina y en qué versos se produce.

4. ¿Tiene carácter didáctico el fragmento? ¿Por qué?

5. ¿Qué estrategias sigue el galán para enamorar a doña Endrina?

6. ¿Qué relación tienen éstas con la tesis principal del libro?

CUADERNAS 697-701

1. Analiza la descripción de la alcahueta.

2. Busca otras obras de la literatura castellana medieval en que la alcahueta tenga un papel destacado.

3. Señala qué elementos proceden de la tradición culta y cuáles de la tradición popular.

CUADERNAS 878-882

1. ¿A partir de qué recursos se aprecia el cambio que se produce en doña Endrina?

2. Señala la mezcla de los elementos cultos y los populares.

CUADERNAS 950-971

1. Compara este fragmento con los anteriores e indica semejanzas y diferencias.

2. Señala qué recursos de la literatura didáctica podemos encontrar ¿Por qué hay mayor abundancia de refranes que en los fragmentos anteriores?

3. Indica dónde aparecen la descripción, la narración y el diálogo, cuál predomina y por qué crees que es así.

4. Indica las ambigüedades del lenguaje que encuentres.

Recursos en internet:
<http://jaserrano.nom.es/LBA/>

6

JORGE MANRIQUE

Jorge Manrique (c. 1440-1479) es sin duda el poeta en castellano más importante del siglo XV, y su fama se la debe sobre todo a las *Coplas a la muerte de su padre* (don Rodrigo Manrique, personaje culto de la alta nobleza fallecido en 1476), aunque es autor de un corpus importante de poesía amorosa. El acierto de Manrique en esta elegía (obra maestra de la lírica de todos los tiempos) reside en la capacidad para conjugar el sentimiento auténtico y la sencillez del lenguaje con los convencionalismos de la tradición elegíaca. El poema constituye una estupenda reflexión sobre el sentido de la vida, realizada con maravillosa naturalidad expresiva.

COPLAS SOBRE LA MUERTE DE SU PADRE

I

Recuerde[1] el alma dormida,
abive el seso[2] y despierte[3]
contemplando
cómo se pasa la vida,

1. recuerde: despierte.
2. seso: cerebro.
3. despierte: recapacite.

cómo se viene la muerte
tan callando;
quán presto[4] se va el placer,
cómo después de acordado
da dolor;
cómo, a nuestro parescer,
qualquiera tiempo pasado
fue mejor.

II

Y pues vemos lo presente
cómo en un punto se es ido
y acabado,
si judgamos sabiamente,
daremos lo no venido
por pasado.
No se engañe nadie, no,
pensando que ha de durar
lo que espera
más que duró lo que vio,
pues que todo ha de pasar
por tal manera.

III

Nuestras vidas son los ríos
que van a dar en la mar,
que es el morir;
allí van los señoríos[5]
derechos a se acabar
e consumir,

---

4. presto: rápido.
5. Territorio de los señores feudales.

allí los ríos cabdales,[6]
allí los otros medianos
y más chicos,
allegados[7] son iguales
los que biven por sus manos
y los ricos.

IV

Dejo las invocaçiones
de los famosos poetas
y oradores;
no curo[8] de sus ficciones,
que traen yervas secretas
sus sabores.
Aquél[9] sólo me encomiendo,
aquél sólo invoco yo
de verdad,
que en este mundo biviendo,
el mundo no conosçió
su deidad.

V

Este mundo es el camino
para el otro, que es morada
sin pesar,
mas cumple tener buen tino
para andar esta jornada
sin errar.

6. Los ríos con mucho caudal.
7. Cuando llegan.
8. No me preocupo.
9. Jesucristo. Es decir, Manrique solo invoca a Jesucristo, en lugar de invocar, como hacían los poetas de la Antigüedad clásica, a las musas.

Partimos cuando nasçemos,
andamos mientras bivimos,
y llegamos
al tiempo que feneçemos;
así que, quando morimos,
descansamos.

[...]

XIII

Los placeres y dulçores
desta vida trabajada
que tenemos,
¿qué son sino corredores,[10]
y la muerte, la çelada[11]
en que caemos?
No mirando nuestro daño,
corremos a rienda suelta
sin parar;
desque[12] vemos el engaño
si queremos dar la vuelta
no ay lugar.[13]

XIV

Esos reyes poderosos
que vemos por escrituras
ya pasadas
con casos tristes, llorosos,
fueron sus buenas venturas

---

10. corredores: soldados que se adelantan para explorar el territorio enemigo.
11. celada: trampa.
12. desque: desde que.
13. No hay posibilidad de regreso.

trastornadas;
así que no ay cosa fuerte,
que papas y emperadores
y perlados,[14]
así los trata la muerte
como a los pobres pastores
de ganados.[15]

XV

Dexemos a los troyanos,
que sus males no los vimos,
ni sus glorias;
dexemos a los romanos,
aunque leemos y oímos
sus historias.
No curemos[16] de saber
lo de aquel siglo pasado
qué fue dello;
vengamos a lo de ayer,
que tan bien es olvidado
como aquello.

XVI

¿Qué se fizo el rey don Joan?[17]
Los infantes de Aragón

---

14. perlado: prelado, alto cargo de la Iglesia.

15. Manrique alude aquí al poder igualatorio de la muerte, tópico que aparece en las danzas de la muerte, muy difundidas durante la Edad Media.

16. No nos preocupemos.

17. «¿Qué fue del rey don Juan?» Aquí Manrique emplea el tópico del *ubi sunt*, que tiene su origen en la poesía latina («¿Dónde están?»). A continuación el poeta se refiere a personajes muy importantes de la

¿qué se fizieron?
¿Qué fue de tanto galán?
¿Qué de tanta invençión[18]
como traxieron?[19]
Las justas y los torneos,[20]
paramientos, bordaduras
y çimeras,[21]
¿fueron sino devaneos?[22]
¿qué fueron sino verduras
de la eras?[23]

XVII

¿Qué se fizieron las damas,
sus tocados[24] y vestidos,
sus olores?[25]
¿Qué se fizieron las llamas
de los fuegos ençendidos
de amadores?
¿Qué se fizo aquel trobar,
las músicas acordadas
que tañían?
¿Qué se fizo aquel dançar,

---

primera mitad del siglo XV: Juan II de Castilla (1405-1454) y los infantes de Aragón, hijos de Fernando I de Antequera y aliados militares de don Rodrigo Manrique.

18. invención: disfraz o vestido lujoso.

19. traxieron: trajeron.

20. Justas y torneos eran combates celebrados entre caballeros.

21. Paramentos y bordaduras son adornos del caballo, y la cimera, un adorno del casco.

22. devaneo: pasatiempo vano.

23. Algo tan fugaz y poco importante como la hierba en la era.

24. tocados: adornos para la cabeza de las mujeres.

25. olores: perfumes.

aquellas ropas chapadas[26]
que traían?

[...]

XXV

Aquel de buenos abrigo,[27]
amado por virtuoso
de la gente,
el maestre[28] don Rodrigo
Manrique, tanto famoso
y tan valiente;
sus grandes fechos y claros
no cumple[29] que los alabe,
pues los vieron;
ni los quiero fazer caros,[30]
pues que el mundo todo sabe
quáles fueron.

XXVI

¡Qué amigo de sus amigos!
¡Qué señor para criados
y parientes!
¡Qué enemigo de enemigos!
¡Qué maestro de esforçados
y valientes!
¡Qué seso para discretos,[31]

---

26. Ropas adornadas con oro o plata.
27. Manrique se refiere a partir de este verso a su padre: el que era protector (abrigo) de buenos.
28. Superior de cualquier orden militar.
29. no cumple: no es necesario.
30. Ni los quiero encarecer (alabar).
31. ¡Qué ejemplo de sabiduría para inteligentes!

qué gracia para donosos,[32]
qué razón!
¡Qué benigno a los sujebtos,[33]
y a los bravos y dañosos,
un león!

XXVII

En ventura,[34] Otaviano;
Julio Çésar en vençer
y batallar;
en la virtud, Africano;
Aníbal en el saber
y trabajar;
en la bondad, un Trajano;
Tito en liberalidad
con alegría;
en su braço, Aureliano;
Marco Atilio en la verdad
que prometía.[35]

XXVIII

Antonio Pío en clemençia;
Marco Aurelio en igualdad
del semblante;
Adriano en la eloqüençia;
Theodosio en umanidad
y buen talante;
Aurelio Alixandre fue

32. donoso: apuesto.
33. sujetos: humildes.
34. ventura: suerte.
35. Aquí Manrique, para resaltar las virtudes de su padre, lo compara con emperadores e importantes generales de la antigua Roma, y destaca las virtudes en las que cada uno de ellos sobresalió.

en diçiplina y rigor
de la guerra;
un Constantino en la fe,
Camilo en el gran amor
de su tierra.

[...]

XXXIII

Después de puesta la vida
tantas vezes por su ley
al tablero;[36]
después de tan bien servida
la corona de su Rey
verdadero;
después de tanta hazaña
a que no puede bastar
cuenta çierta,[37]
en la su villa de Ocaña
vino la Muerte a llamar
a su puerta.

XXXIV

Diziendo: «Buen caballero,
dexad el mundo engañoso
sin falago;
vuestro corazón de acero
muestre su esfuerço famoso
en este trago;
y pues de vida y salud
fezistes[38] tan poca cuenta

36. La vida entendida como un tablero de ajedrez.
37. Es imposible contar todas las hazañas que llevó a cabo.
38. hecistes: hiciste.

por la fama,
fazedla de la virtud
para sofrir esta afrenta
que vos llama.

XXXV

»No se os faga tan amarga
la batalla temerosa
que esperáis,[39]
pues otra vida más larga
de fama tan gloriosa
acá dexáis;
aunque esta vida de honor
tampoco no es eternal
ni duradera;[40]
mas con todo es muy mejor
que la otra temporal,
perecedera.

XXXVI

»Que el bevir que es perdurable
no se gana con estados
mundanales,
ni con vida deleitable
en que moran los pecados
infernales;
que los buenos religiosos
gánanlo con oraçiones
y con lloros;
los cavalleros famosos,

---

39. La hora de la muerte entendida como combate difícil.

40. La vida de la fama no es tan verdadera como la vida del más allá cristiano.

con trabajos y afliçiones
contra moros.

XXXVII

»Y pues vos, claro varón,[41]
tanta sangre derramastes
de paganos,
esperad el galardón
que en este mundo ganastes
por las manos;
y con esta confiança
y con la fe tan entera
que tenéis,
partid con una esperança,
que la vida verdadera[42]
cobraréis.

XXXVIII

«No gastemos tiempo ya
en esta vida mezquina
por tal modo,
que mi voluntad está
conforme con la divina
para todo;
y consiento en mi morir
con voluntad plazentera,
clara y pura,
que querer ombre bivir
cuando Dios quiere que muera,
es locura».

41. claro varón: hombre ilustre.

42. La vida verdadera (si se toma como referencia a las otras dos vidas de las que habló en la copla XXXV) es la vida eterna cristiana.

XXXIX

«Tú, que por nuestra maldad,
tomaste forma cevil[43]
y baxo nombre.[44]
Tú, que a tu divinidad
juntaste cosa tan vil
como es el ombre.
Tú, que los grandes tormentos
sofriste sin resistençia
en tu persona,
no por mis meresçimientos,
mas por tu sola clemençia
me perdona».

XL

Así, con tal entender,
todos sentidos umanos
conservados,[45]
çercado[46] de su muger
y de sus fijos y hermanos
y criados,
dio el alma a quien gela dio,[47]
el qual la ponga en el çielo
y en su gloria,
que aunque la vida perdió,
dexonos harto consuelo
su memoria.

---

43. forma civil: forma humana.
44. bajo nombre: nombre corriente.
45. Quiere decir que ha olvidado todos los placeres mundanos.
46. cercado: rodeado.
47. Dio el alma a Dios.

PROPUESTAS DE TRABAJO

COPLAS I-V

1. Realiza un análisis formal prestando especial atención a la perfecta fusión entre forma y contenido (señala la importancia que tiene el uso de la estrofa de pie quebrado).

2. Identifica los diferentes tipos de metáforas sobre la vida que aparecen en las cinco primeras coplas y señala su tradición.

COPLAS XIII-XVII

1. ¿Qué cambios observas entre esta parte y la anterior?

2. Busca información sobre las danzas de la muerte.

3. Compara este texto con el de François Villon «Ballade des dames du temps jadis».

COPLAS XXV-XXVIII

1. A partir de la copla XXV, Manrique se centra en la figura de su padre: destaca los rasgos del personaje y señala si cambia el estilo respecto a las estrofas anteriores.

COPLAS XXXIII-XL

1. Señala qué elementos dan más carácter dramático a la parte final de las coplas.

2. ¿Cómo se presenta la muerte ante don Rodrigo?

3. ¿Cuál es la actitud de don Rodrigo ante la muerte?

4. Reflexiona sobre la modernidad del texto y, para ello, compáralo con la parodia de Luis García Montero (1997) «Coplas a la muerte de un colega» (recogida en Luis García Montero [1997]: *Casi cien poemas,* Hiperión, Madrid).

Recursos en internet:
Audición de la versión musicalizada de las «Coplas» a cargo de Paco Ibáñez: <http://www.youtube.com/watch?v=TZRkumTAfA>

Audición de la versión musical que hizo Georges Brassens del poema de F. Villon: «Ballade des dames du temps jadis»: <http://www.youtube.com/watch?v=nxZAJiDZHSo>

Recursos complementarios:
Para trabajar el tópico del *ubi sunt* es muy recomendable el siguiente artículo:
Silva, Pedro Hilario (2008): «Intertextualidad y funciones del *ubi sunt*? en la poesía española contemporánea», en A. Mendoza Fillola (coord.) (2008): *Textos entre textos. Las conexiones textuales en la formación del lector*, Horsori, Barcelona, pp. 119-131.

7

GARCILASO DE LA VEGA

Garcilaso de la Vega (c. 1501-1536), encarna la figura del perfecto cortesano, tal y como lo definiera Baltasar de Castiglione en *El cortesano* (obra, por cierto, que tradujo al castellano Juan Boscán por iniciativa de Garcilaso): el hombre que sobresale en las armas y en las letras. Nació en la imperial Toledo, tuvo una refinada educación, viajó por toda Europa y gozó de excelentes relaciones con el emperador Carlos I hasta 1531. En 1525 se casó por compromiso con Elena de Zúñiga, si bien la verdadera fuente de inspiración de su poesía amorosa fue Isabel Freyre, a quien conoció en 1526. Su obra poética está centrada en el tema amoroso, para lo cual sigue el modelo del *Cancionero* de Petrarca, que tendrá gran éxito a lo largo de todo el Renacimiento (modelo consistente en la descripción de la dama, su muerte y el recuerdo de los días tristes y alegres). Es decir, en el origen de su poesía amorosa está la tradición literaria entreverada con sus particulares circunstancias biográficas (ya que Isabel Freyre, como la amada de Petrarca, murió joven).

Por asistir a una boda prohibida por el rey sufrió destierro en Italia entre 1531 y 1532, y aprovechó ese tiempo para profundizar en su conocimiento de los clásicos y de la poesía renacentista italiana. Garcilaso participó en muchas campañas bélicas y falleció en una de ellas, cerca de Niza, en 1536.

Su obra, aunque extremadamente breve, tiene una importancia fundamental en la poesía castellana, ya que fue quien consiguió naturalizar en España el modelo de poesía renacentista italiana; por eso se dice que con su obra comienza en España la corriente petrarquista o italianizante, que combina la tradición clásica (Platón, Virgilio, Horacio...) con los poeta del Renacimiento italiano (muy especialmente Petrarca); además, Garcilaso dio un empuje definitivo al uso del soneto y el endecasílabo, que desde entonces no ha dejado de emplearse en nuestra lírica. Garcilaso maneja el endecasílabo con una soltura y belleza que dista mucho de los intentos del Marqués de Santillana (que era antepasado suyo). Pero, sobre todo, su obra tiene el mérito de conjugar la perfección formal con la hondura en la expresión del sentimiento, gracias al empleo de un lenguaje sencillo pero depurado, alcanzando unas cotas que no se habían logrado hasta entonces en la lengua castellana. Finalmente, debe destacarse el carácter innovador de Garcilaso en todos los ámbitos (lenguaje, temas y formas). Sus *Églogas* (composiciones en que unos pastores ficticios expresan sus sentimientos amorosos ante una naturaleza empática) son el mejor ejemplo del bucolismo renacentista en castellano, que bebe en las fuentes de Virgilio y Sannazaro. En la *Égloga III* cuatro ninfas tejen otros tantos tapices con historias amorosas en un ambiente bucólico. Las tres primeras son mitológicas, pero la cuarta está centrada en los amores de Nemoroso y Elisa (trasunto de los de Garcilaso con Isabel Freyre).

La égloga es un género clásico, que alcanzó su auge con Virgilio y que los poetas del Renacimiento italiano volvieron a utilizar. La *Égloga III* es la más famosa de Garcilaso y muy probablemente se compuso hacia 1536. Las estrofas 1-7 constituyen una dedicatoria a una dama llamada María. A continuación, Garcilaso describe la historia de cuatro ninfas que viven en el fondo del río Tajo. En las estrofas 8-10 Garcilaso emplea el tópico del *locus amoenus*:

[8]
Cerca del Tajo, en soledad amena,
de verdes sauces hay una espesura,
toda de hiedra revestida y llena,
60 que por el tronco va hasta el altura
y así la teje arriba y encadena
que'l sol no halla paso a la verdura;
el agua baña el prado con sonido,
alegrando la hierba y el oído.

[9]
65 Con tanta mansedumbre el cristalino
Tajo en aquella parte caminaba,
que pudieran los ojos el camino
determinar apenas que llevaba.[1]
Peinando sus cabellos d'oro fino,
70 una ninfa del agua do moraba
la cabeza sacó, y el prado ameno
vido[2] de flores y de sombra lleno.

[10]
Movióla el sitio umbroso,[3] el manso viento,
el suave olor d'aquel florido suelo;

---

1. A los ojos les costaba saber por dónde iba el río.
2. vido: vio.
3. La conmovió el sitio con tanta sombra.

75 las aves en el fresco apartamiento
vio descansar del trabajoso vuelo;
secaba entonces el terreno aliento
el sol, subido en la mitad del cielo;
en el silencio solo se 'scuchaba
un susurro de abejas que sonaba.

[...]

[A continuación Garcilaso describe la tela que ha tejido Nise, que no refleja un asunto mitológico, como han hecho sus tres hermanas, sino un caso sucedido a orillas del Tajo.]

[25]
La blanca Nise no tomó a destajo
de los pasados casos la memoria,[4]
y en la labor de su sotil trabajo
195 no quiso entretejer antigua historia;
antes, mostrando de su claro Tajo
en su labor la celebrada gloria,
la figuró en la parte dond' él baña
200 la más felice tierra de la España.[5]

[26]
Pintado el caudaloso rio se vía,
que en áspera estrecheza reducido,
un monte casi alrededor ceñía,[6]
con ímpetu corriendo y con ruïdo;
205 querer cercarlo todo parecía
en su volver, mas era afán perdido;
dejábase correr en fin derecho,
contento de lo mucho que habia[7] hecho.

---

4. A Nise no le interesó recordar casos pasados.
5. Alusión a Toledo, donde nació Garcilaso.
6. Hace referencia al monte sobre el que se asienta Toledo.
7. Debe escribirse «habia» (sin tilde), por el cómputo silábico. Lo mismo sucede en el verso 201 («rio»).

[27]
Estaba puesta en la sublime cumbre
210 del monte, y desde allí por él sembrada,
aquella ilustre y clara pesadumbre
d'antiguos edificios adornada.
D'allí con agradable mensedumbre
el Tajo va siguiendo su jornada[8]
215 y regando los campos y arboledas
con artificio de las altas ruedas.[9]

[28]
En la hermosa tela se veían,
entretejidas, las silvestres diosas
salir de la espesura, y que venían
220 todas a la ribera presurosas,
en el semblante tristes, y traían
cestillos blancos de purpúreas rosas,
las cuales esparciendo derramaban
sobre una ninfa muerta que lloraban.[10]

[29]
225 Todas, con el cabello desparcido,[11]
lloraban una ninfa delicada
cuya vida mostraba que habia[12] sido
antes de tiempo y casi en flor cortada;
cerca del agua, en un lugar florido,
230 estaba entre las hierbas igualada
cual queda el blanco cisne cuando pierde
la dulce vida entre la hierba verde.

8. su camino.

9. Referencia a los molinos de agua.

10. Alusión a la costumbre, propia de la Antigüedad grecolatina, de echar flores sobre los muertos.

11. Llevar el cabello suelto (esparcido) era sinónimo de tristeza en la Antigüedad.

12. Debe escribirse «habia» (sin tilde), por el cómputo silábico.

[30]
Una d'aquellas diosas que'n belleza
al parecer a todas ecedía,
235 mostrando en el semblante la tristeza
que del funesto y triste caso había,
apartada algún tanto, en la corteza
de un álamo unas letras escribía
como epitafio de la ninfa bella,
240 que hablaban ansí por parte della:

[31]
«Elisa soy, en cuyo nombre suena
y se lamenta el monte cavernoso,
testigo del dolor y grave pena
en que por mí se aflige Nemoroso
245 y llama '¡Elisa!'; '¡Elisa!' a boca llena
responde el Tajo, y lleva presuroso
al mar de Lusitania[13] el nombre mío,
donde será escuchado, yo lo fío.»

[32]
En fin, en esta tela artificiosa
250 toda la historia estaba figurada
que en aquella ribera deleitosa[14]
de Nemoroso fue tan celebrada,
porque de todo aquesto y cada cosa
estaba Nise ya tan informada
255 que, llorando el pastor, mil veces ella
se enterneció escuchando su querella;[15]

[...]

---

13. Portugal, donde desemboca el Tajo. Parece que aquí Garcilaso alude a su propia circunstancia amorosa, de modo que la ninfa muerta sería Isabel Freyre, dama portuguesa que había fallecido pocos años antes.

14. deleitosa: agradable.

15. querella: queja, expresión de sentimiento doloroso.

[Anochece, y cuando las ninfas ya van a volver al fondo del río, oyen la voz de dos pastores, Alcino y Tirreno, que cantan de modo alterno sus penas amorosas y la belleza de sus amadas, Flérida y Filis, con quienes esperan reunirse al anochecer.]

[39]
Tirreno:
305 Flérida, para mí dulce y sabrosa
más que la fruta del cercado ajeno,
más blanca que la leche y más hermosa
que'l prado por abril de flores lleno:
si tú respondes pura y amorosa
310 al verdadero amor de tu Tirreno,
a mi majada[16] arribarás primero
que'l cielo nos amuestre su lucero.[17]

[40]
Alcino:
Hermosa Filis, siempre yo te sea
amargo al gusto más que la retama,[18]
315 y de ti despojado yo me vea
cual queda el tronco de su verde rama,
si más que yo el murciégalo desea
la escuridad, ni más la luz desama,[19]
por ver ya el fin de un término tamaño,[20]
320 deste dia[21] para mí mayor que un año.

16. majada: lugar donde se recoge el ganado y se refugian los pastores.

17. Antes de que anochezca. El «lucero» es Venus, porque brilla al anochecer.

18. retama: arbusto de sabor amargo.

19. desama: detesta.

20. tamaño: tan grande.

21. Debe escribirse «dia» (sin tilde), por el cómputo silábico.

[41]
Tirreno:
Cual suele, acompañada de su bando,
aparecer la dulce primavera,
cuando Favonio y Céfiro,[22] soplando,
al campo tornan su beldad primera,
325 y van artificiosos esmaltando
de rojo, azul y blanco la ribera:
en tal manera, a mí Flérida mía
viniendo, reverdece mi alegría.

[42]
Alcino:
¿Ves el furor del animoso viento
330 embravecido en la fragosa[23] sierra
que los antiguos robles ciento a ciento
y los pinos altísimos atierra,[24]
y de tanto destrozo aun no contento,
al espantoso mar mueve la guerra?
335 Pequeña es esta furia comparada
a la de Filis con Alcino airada.

[43]
Tirreno:
El blanco trigo multiplica y crece;
produce el campo en abundancia tierno
pasto al ganado; el verde monte ofrece
340 a las fieras salvajes su gobierno;[25]
adoquiera que miro, me parece
que derrama la copia todo el cuerno:[26]

---

22. Favonio y Céfiro hacen referencia a un mismo tipo de viento suave de poniente (Favonio es de origen latino y Céfiro de origen griego).

23. fragosa: áspera.

24. atierra: derriba, echa a tierra.

25. gobierno: comida, alimento.

26. Alusión mitológica al cuerno de Amaltea, del que salen todo tipo de frutos.

mas todo se convertirá en abrojos[27]
si de ello aparta Flérida sus ojos.[28]

[44]
Alcino:
345 De la esterilidad es oprimido
el monte, el campo, el soto y el ganado;
la malicia del aire corrompido
hace morir la hierba mal su grado;[29]
las aves ven su descubierto nido
350 que ya[30] de verdes hojas fue cercado:
pero si Filis por aquí tornare,
hará reverdecer cuanto mirare.

[45]
Tirreno:
El álamo de Alcides[31] escogido
fue siempre, y el laurel del rojo Apolo;[32]
355 de la hermosa Venus[33] fue tenido
en precio y en estima el mirto solo;
el verde sauz[34] de Flérida es querido
y por suyo entre todos escogiolo:
doquiera que sauces de hoy más se hallen,
360 el álamo, el laurel y el mirto callen.

---

27. abrojo: cardo.

28. Aquí se muestra el tópico de la dama como vivificadora de la naturaleza.

29. mal su grado: aunque no quiera.

30. ya: antes.

31. Alcides es Hércules (por ser descendiente de Alceo); se asociaba con el álamo.

32. Apolo está asociado al laurel, porque fue el árbol en que se transformó Dafne. Alude al «rojo Apolo» porque Apolo es el dios del sol.

33. Venus, diosa del amor, está asociada al mirto, porque con él se defendió de un sátiro.

34. sauz: sauce.

[46]
Alcino:
El fresno por la selva en hermosura
sabemos ya que sobre todos vaya;
y en aspereza y monte d'espesura
se aventaja la verde y alta haya;
365 mas el que la beldad de tu figura
dondequiera mirado, Filis, haya,
al fresno y a la haya en su aspereza
confesará que vence tu belleza.

[47]
Esto cantó Tirreno, y esto Alcino
370 le respondió, y habiendo ya acabado
el dulce son, siguieron su camino
con paso un poco más apresurado;
siendo a las ninfas ya el rumor vecino,
juntas s'arrojan por el agua a nado,
375 y de la blanca espuma que movieron
las cristalinas ondas se cubrieron.

PROPUESTAS DE TRABAJO

ÉGLOGA III, ESTROFAS 8-10, 25-32, 39-47.

1. Resume el argumento de los diversos fragmentos.

2. Indica las partes narrativas, las descriptivas y las dialogadas.

3. Identifica en estos fragmentos las principales características de la égloga.

4. Señala los elementos cultos y populares, así como los que tengan relación con la biografía de Garcilaso.

5. Busca referencias pictóricas vinculadas a los mitos que aparecen.

6. Localiza los tópicos literarios y los elementos de idealización de la realidad. Describe las características del *locus amoenus*.

7. Señala un ejemplo de aliteración evocadora.

Recurso en internet:
<http://www.cervantesvirtual.com/portales/garcilaso_de_la_vega/>
<http://www.garcilaso.org/>
<http://cvc.cervantes.es/actcult/garcilaso/>

Bibliografía complementaria:
El texto está parcialmente comentado en: Dámaso Alonso (1971): *Ensayo de métodos y límites estilísticos*, Gredos, Madrid, pp. 47-108.

8
FRAY LUIS DE LEÓN

Fray Luis de León (1527-1591) nació en Belmonte (Cuenca) en el seno de una rica familia de origen judío. Desarrolló la mayor parte de su actividad en Salamanca, donde tomó el hábito de fraile agustino y en cuya universidad fue profesor. Hombre extremadamente culto, elocuente y agudo (excelente traductor del latín, del griego y del hebreo) pero, como buen seguidor de Horacio, amante de la vida sencilla, es un excelente representante del llamado «segundo Renacimiento», caracterizado por la fusión del humanismo renacentista con temas religiosos y morales, lo cual ocasionó conflictos con la Iglesia, y fray Luis se vio seriamente implicado en ellos: él era partidario de la traducción de la Biblia a la lengua vulgar, y su versión del *Cantar de los cantares* le acarreó una condena de la Inquisición de varios años, aunque después pudo volver a la universidad y continuar con su carrera eclesiástica.

Su obra poética está guiada por la voluntad de armonizar los clásicos grecolatinos con las cuestiones morales y religiosas. Su modelo de vida parte de la doctrina cristiana armonizada con Platón y Horacio, con el fin de guiar nuestra vida hacia la armonía y la virtud, y para ello postula el contacto con la naturaleza y el alejamiento del mundanal ruido. En sus odas emplea la lira introducida por Garcilaso y como él, aunque en otro sentido, tiene un estilo elegante y natural, caracterizado por la frase larga y la musicalidad. Un excelente ejemplo en este sentido es la *Oda III*, donde fray Luis presenta la poesía como una vía de aproximación a Dios.

ODA III

A FRANCISCO SALINAS, CATEDRÁTICO DE MÚSICA DE LA UNIVERSIDAD DE SALAMANCA[1]

El aire se serena
y viste de hermosura y luz no usada,[2]
Salinas, cuando suena
la música extremada,[3]
5 por vuestra sabia mano gobernada;

a cuyo son divino
mi alma, que en olvido está sumida,
torna a cobrar el tino[4]
y memoria perdida
10 de su origen primera esclarecida.[5]

Y, como se conoce,[6]
en suerte y pensamientos se mejora;
el oro desconoce,
que el vulgo ciego adora,
15 la belleza caduca, engañadora.

---

1. Ciego de nacimiento y gran amigo de fray Luis, Salinas era catedrático de Música de la Universidad de Salamanca y organista.
2. no usada: no habitual.
3. extremada: excelente.
4. tino: juicio, cordura.
5. Se aprecian en esta estrofa las resonancias platónicas: el alma «se olvida» de su origen divino cuando está en el cuerpo, pero, gracias a la música divina de Salinas, el alma recobra esa memoria perdida.
6. A medida que el alma se va reconociendo.

Traspasa[7] el aire todo
hasta llegar a la más alta esfera,[8]
y oye allí otro modo
de no perecedera
20 música, que es de todas la primera.[9]

Ve cómo el gran maestro,[10]
a aquesta inmensa cítara[11] aplicado,
con movimiento diestro
produce el son sagrado,
25 con que este eterno templo es sustentado.

Y, como está compuesta
de números concordes, luego envía
consonante respuesta;
y entrambas a porfía[12]
30 mezclan una dulcísima armonía.[13]

Aquí la alma navega
por un mar de dulzura, y finalmente
en él ansí se anega
que ningún accidente
35 extraño y peregrino oye o siente.[14]

---

7. Se refiere al alma.
8. El cielo.
9. En esta estrofa tenemos resonancias de las teorías pitagóricas sobre la música. Gracias a la música de Salinas, el alma llega a la esfera más alta (es la música eterna de Dios).
10. Dios.
11. cítara: instrumento de música antiguo, parecido a la lira.
12. a porfía: compitiendo entre ellos.
13. El alma responde a la música de Dios, y entre ambas forman esa «dulcísima armonía».
14. El alma se hunde (anega) tanto en la dulzura que ya no oye ni siente ningún hecho de la vida terrena (accidente extraño y peregrino).

¡Oh, desmayo dichoso!
¡Oh, muerte que das vida! ¡Oh, dulce olvido!
¡Durase en tu reposo,[15]
sin ser restituido
40 jamás a aqueste bajo y vil sentido!

A aqueste bien os llamo,
gloria del apolíneo[16] sacro coro,
amigos a quien amo
sobre todo tesoro;
45 que todo lo demás es triste lloro.[17]

¡Oh! suene de contino,[18]
Salinas, vuestro son en mis oídos,
por quien al bien divino
despiertan los sentidos[19]
50 quedando a lo demás amortecidos.

PROPUESTAS DE TRABAJO

1. Señala la presencia de elementos propios de la tradición cristiana y de la tradición clásica.

2. Explica las características de la lira.

3. Señala la estructura y las partes del poema.

---

15. Ojalá durase en tu reposo.
16. Apolo es el dios de la poesía.
17. Fray Luis se dirige a sus amigos poetas («apolíneo sacro coro»), exhortándolos a vivir en la contemplación de la armonía, y a no dejarse engañar por lo que ven.
18. Continuamente.
19. Los sentidos quedan como muertos para todo lo que no sea esa contemplación espiritual.

4. ¿Cuál es el tema principal? Señala la relación entre la alusión reiterada a la serenidad que hay en el poema y el ideal de equilibrio renacentista.

5. ¿Cuáles son los efectos que produce la música?

6. Señala la estrofa del poema en que se alcanza la máxima intensidad o clímax. ¿Qué recursos se emplean para ello?

7. ¿Resulta actual el enfoque y el planteamiento del tema?

Recursos en internet:
<http://www.cervantesvirtual.com/portales/fray_luis_de_leon/>

Bibliografía complementaria:
El texto está comentado en: Dámaso Alonso (1971): *Ensayo de métodos y límites estilísticos*, Gredos, Madrid, pp. 170-192.

9

SAN JUAN DE LA CRUZ

Nacido como Juan de Yepes (1542-1591) en Fontiveros (Ávila), es el máximo exponente de la poesía mística española. Los dos rasgos distintivos de su infancia fueron la pobreza y el fervor religioso; luego estudió en la Universidad de Salamanca e ingresó en la Orden de los Carmelitas a los veintiún años. Estuvo muy implicado en la reforma de su orden (tarea en la que recibió el apoyo de Santa Teresa de Jesús), lo cual tuvo como consecuencia una vida llena de zozobras y una condena de ocho meses en la cárcel, que aprovechó para continuar escribiendo. La brevedad de su obra contrasta con su total intensidad emocional y expresiva. En ella muestra sus vivencias místicas (la unión con la divinidad), y para reflejar la intensidad de su éxtasis (que es inefable, es decir, no se puede explicar) emplea la alegoría, el simbolismo y diversos recursos de la poesía amorosa y de la literatura bíblica que pueden calificarse de sensualidad a lo divino. Su obra está influenciada también por la poesía italianizante y por la lírica popular. La «Noche oscura del alma» es una de las cimas de la poesía mística en español.

NOCHE OSCURA DEL ALMA

CANCIONES DEL ALMA QUE SE GOZA DE HABER LLEGADO AL ALTO ESTADO DE LA PERFECCIÓN, QUE ES LA UNIÓN CON DIOS, POR EL CAMINO DE LA NEGACIÓN ESPIRITUAL

En una noche escura,
con ansias en amores inflamada,
¡oh dichosa ventura!,
salí sin ser notada,
5 estando ya mi casa sosegada.

A escuras y segura
por la secreta escala, disfrazada,
¡oh dichosa ventura!,[1]
a escuras y en celada,[2]
10 estando ya mi casa sosegada.

En la noche dichosa,
en secreto, que nadie me veía,
ni yo miraba cosa,
sin otra luz y guía
15 sino la que en el corazón ardía.

Aquesta me guiaba
más cierto que la luz del mediodía,
adonde me esperaba
quien yo bien me sabía,
20 en parte donde nadie parecía.[3]

¡Oh noche, que guiaste!;
¡oh noche amable más que el alborada!;
¡oh noche que juntaste
Amado con amada,
25 amada en el Amado transformada!

---

1. ventura: suerte.
2. en celada: a escondidas.
3. parecía: aparecía.

En mi pecho florido,
que entero para él solo se guardaba,
allí quedó dormido,
y yo le regalaba
30 y el ventalle[4] de cedros aire daba.

El aire de la almena,
cuando yo sus cabellos esparcía,
con su mano serena
en mi cuello hería
35 y todos mis sentidos suspendía.

Quedeme y olvideme,
el rostro recliné sobre el Amado;
cesó todo y dejeme,
dejando mi cuidado
40 entre las azucenas olvidado.

PROPUESTAS DE TRABAJO

1. Resume el contenido del poema y, a continuación, explica su carácter simbólico y alegórico.

2. ¿Qué forma métrica emplea y cuál es su origen?

3. Identifica la estructura del texto y ahonda en cómo se funde forma y contenido, identificando las fases de la experiencia mística (vía purgativa, iluminativa y unitiva).

4. Señala de qué modo se traslada el lenguaje amoroso a la experiencia mística.

---

4. ventalle: abanico.

5. Identifica en qué estrofa se produce el éxtasis y qué recursos se emplean para representarlo más vivamente.

6. Explica el valor simbólico de las azucenas en la última estrofa.

Recursos en internet:
<http://www.cervantesvirtual.com/bib/bib_autor/sjuandelacruz/>

10

LUIS DE GÓNGORA

Don Luis de Góngora y Argote (1561-1627) fue sobre todo un hombre dotado de una profunda capacidad poética y preocupado por la belleza y el lujo (también fue muy aficionado al juego, y todo ello acabó provocando su ruina). Provenía de familia ilustre, y frecuentó los ambientes cortesanos (llegó a ser capellán del rey Felipe III). Como poeta, cultivó el gusto por la perfección y la belleza. Empleó prácticamente todos los géneros poéticos con igual excelencia (ya fueran composiciones tremendamente difíciles o letrillas burlescas), pero su mayor fama la obtuvo con la *Fábula de Polifemo y Galatea* y las *Soledades*, obras señeras de la lírica española que, tras caer en desgracia, volvieron a ser justipreciadas a partir de comienzos del siglo XX. Lo que más impresionó de ambas obras fue la total renovación estilística que suponen (a partir del uso de latinismos, cultismos, hipérbatos, complejas metáforas...) y el total dominio del lenguaje por parte de su autor.

El soneto «Mientras por competir con tu cabello» es sin duda uno de los más conocidos de Góngora, si bien no es precisamente el más adecuado para ejemplificar las características del Barroco.

Mientras por competir con tu cabello,
oro bruñido[1] al sol relumbra en vano;
mientras con menosprecio en medio el llano
mira tu blanca frente el lilio[2] bello;

5 mientras a cada labio, por cogello,[3]
siguen más ojos que al clavel temprano,
y mientras triunfa con desdén lozano
del luciente cristal tu gentil cuello;

goza cuello, cabello, labio y frente,
10 antes que lo que fue en tu edad dorada
oro, lilio, clavel, cristal luciente,

no sólo en plata o víola troncada[4]
se vuelva, mas tú y ello juntamente
en tierra, en humo,[5] en polvo, en sombra, en nada.

PROPUESTAS DE TRABAJO

1. Busca información sobre los siguientes tópicos, vertebradores del poema: *collige virgo rosas* y *carpe diem*.

2. Realiza un análisis formal y de contenido, destacando especialmente de qué modo el contenido refuerza y condiciona la forma, y viceversa.

3. Relaciona este texto con el soneto de Garcilaso «En tanto que de rosa y azucena» y con el soneto de Pierre de Ronsard «Quand vous serez bien vieille, au soir, à la

---

1. bruñido: abrillantado.
2. lilio: lirio.
3. cogello: cogerlo.
4. violeta tronchada.
5. humo: es un latinismo por *humus*, tierra en descomposición.

chandelle» (recogido en P. de Ronsard (1987): *Sonetos para Helena*, Planeta, Barcelona. Traducción de Carlos Pujol).

Bibliografía complementaria:
El mejor comentario es el de A. Carballo Picazo, del que hay dos versiones (la primera es la más extensa): A. Carballo Picazo (1964): «Mientras por competir con tu cabello», *Revista de Filología Española*, XLVII, pp. 379-398; y A. Carballo Picazo (1973): «En torno a "Mientras por competir con tu cabello", de Góngora». En AA. VV. *El comentario de textos, 1*, Castalia, Madrid, pp. 62-78.

Para la pervivencia del tema del *carpe diem* en la poesía española puede consultarse la obra de Blanca González de Escandón (1938): *Los temas del «carpe diem» y la brevedad de la rosa en la poesía española,* Universidad de Barcelona, Barcelona.

11

LOPE DE VEGA

Félix Lope de Vega y Carpio (1562-1635) fue calificado como «monstruo de la naturaleza» (Cervantes), por lo desmesurado, tanto en su vida como en su obra. Cultivó prácticamente todos los géneros literarios de su tiempo y fue especialmente prolífico en el género teatral: llegó a escribir unas mil quinientas comedias, que le reportaron fama y dinero. La misma variedad y calidad cabe señalar en su obra poética. La personalidad y la obra de Lope de Vega contrastan fuertemente con la de Góngora: Lope traslada su intensa vida a su obra, en la que muestra un enorme dominio de los registros cultos y de la tradición popular, pero siempre buscando la sencillez. El relato de su vida es en sí mismo una novela de aventuras en la que no faltan los múltiples enlaces, el rapto, el abandono, las expediciones militares, el destierro, las crisis espirituales y el arrepentimiento sincero. La mayoría de su obra poética se publicó en tres volúmenes: *Rimas humanas* (1604), *Rimas sacras* (1614) y *Rimas humanas y divinas del licenciado Tomé de Burguillos* (1634).

El poema que sigue es un claro ejemplo de «soneto de definición» que puede vincularse estrechamente a la circunstancia biográfica del autor.

DESMAYARSE, ATREVERSE, ESTAR FURIOSO
RIMAS (1604)

Desmayarse, atreverse, estar furioso,
áspero, tierno, liberal, esquivo,
alentado, mortal, difunto, vivo,
leal, traidor, cobarde y animoso;

5 no hallar fuera del bien centro y reposo,
mostrarse alegre, triste, humilde, altivo,
enojado, valiente, fugitivo,
satisfecho, ofendido, receloso;

huir el rostro al claro desengaño,
10 beber veneno por licor süave,
olvidar el provecho, amar el daño;

creer que un cielo en un infierno cabe,
dar la vida y el alma a un desengaño;
esto es amor, quien lo probó lo sabe.

PROPUESTAS DE TRABAJO

1. Realiza un análisis formal y de contenido, prestando especial atención al juego de contrastes y a la selección del vocabulario.

2. Explica por qué a este tipo de sonetos se le llama «soneto de definición» y busca otros ejemplos.

3. ¿Dónde está la mayor intensidad del texto?

4. ¿Crees que el texto tiene vigencia? ¿Por qué?

Recursos en internet:
<http://www.cervantesvirtual.com/bib/bib_autor/Lope/>

12

FRANCISCO DE QUEVEDO

El madrileño Francisco de Quevedo y Villegas (1580-1645) gozó de una amplia formación humanística, y además de ser uno de los escritores más importantes y temidos (por su mordacidad) de su tiempo, tuvo una activa vida política, que le acarreó notables disgustos, pleitos e incluso el destierro y la prisión. Su obra es un excelso ejemplo de la literatura barroca, pues está marcada por el juego de contrastes y el moralismo. Cultivó casi todos los géneros en poesía y en prosa, y manejó estilos muy distintos (del más alto al más bajo), siempre con brillantez y completo dominio del idioma y de la tradición literaria. Su obra está caracterizada por la metáfora sorprendente, el juego de palabras, la acuñación de neologismos o los cambios de categoría gramatical; la paradoja, los contrastes, la polisemia y la hipérbole son también rasgos definitorios de su estilo. Valga como síntesis final la siguiente frase de uno de sus mejores estudiosos, don José Manuel Blecua Teijeiro: «La poesía como expresión de la autenticidad del ser y la poesía como juego». El soneto seleccionado es un buen ejemplo de todo ello.

Cerrar podrá mis ojos la postrera
sombra, que me llevare el blanco día,
y podrá desatar esta alma mía[1]
hora a su afán ansioso lisonjera;

5 mas no, de esotra[2] parte, en la ribera,[3]
dejará la memoria, en donde ardía:
nadar sabe mi llama[4] la agua fría,
y perder el respeto a ley severa.[5]

Alma a quien todo un dios[6] prisión ha sido,
10 venas que humor[7] a tanto fuego han dado,
medulas[8] que han gloriosamente ardido,

su cuerpo dejará, no su cuidado;[9]
serán ceniza, mas tendrá sentido;
polvo serán, mas polvo enamorado.

PROPUESTAS DE TRABAJO

1. Realiza un análisis formal y de contenido, haciendo especial hincapié en la relación de los textos con el contexto histórico y filosófico del Barroco.

---

1. La muerte separa (desata) el alma del cuerpo.
2. esotra: esa otra.
3. La ribera hace referencia a la laguna Estigia, que según la antigua mitología griega era atravesada por las almas tras morir, y una vez en el otro lado olvidaban la vida terrena.
4. La llama amorosa (nótese el contraste entre llama y agua).
5. La ley de la muerte y el consiguiente olvido.
6. El dios Amor.
7. humor: sangre.
8. medula: tuétano.
9. cuidado: preocupación (en este caso, amorosa).

2. ¿Qué visión de la vida se presenta en la primera estrofa?

3. Identifica las diferentes referencias mitológicas. ¿En qué estrofa se sitúan? ¿Por qué?

4. Relaciona este soneto con el de Góngora que aparece en esta misma antología.

Recursos en internet:
<http://www.cervantesvirtual.com/bib/bib_autor/quevedo/>
<http://www.franciscodequevedo.org/>

Bibliografía complementaria:
El poema ha sido comentado por Carlos Blanco Aguinaga: «"Cerrar podrá mis ojos": Tradición y originalidad», *Filología* (Buenos Aires), VIII (1962), pp. 57-78; luego recogido en G. Sobejano (ed.) (1987): *Francisco de Quevedo,* Taurus, Madrid, pp. 300-318.

13

SOR JUANA INÉS DE LA CRUZ

Juana de Asbaje y Ramírez de Santillana (1651-1695), criolla mexicana, es una de las cumbres de la poesía hispanoamericana. Mujer dotada de una inteligencia excepcional y de gran talento poético, pronto entendió que solo en la vida conventual podría desarrollar sus capacidades intelectuales, de ahí que la mayor parte de su vida (tras una etapa inicial de juventud en la corte virreinal de México) transcurriese en la hermandad de San Jerónimo, aunque sus superiores eclesiásticos también le recriminaron su dedicación a las letras y la fama que le acarreó. De ahí que ella defendiese la educación de la mujer y su propio trabajo en la *Respuesta a sor Filotea*. Cultivó sobre todo la poesía, pero también el teatro y la prosa (tratando temas sacros y profanos). Entre su variada obra poética hay que destacar *Primero sueño*, escrita a partir de las *Soledades* de Góngora. Como muchos otros coetáneos, supo desenvolverse hábilmente en los registros cultos y populares. La modernidad de sus planteamientos puede apreciarse en el siguiente poema.

ARGUYE DE INCONSECUENTES EL GUSTO Y LA CENSURA DE LOS HOMBRES QUE EN LAS MUJERES ACUSAN LO QUE CAUSAN

Hombres necios que acusáis
a la mujer sin razón,
sin ver que sois la ocasión
de lo mismo que culpáis:

5 si con ansia sin igual
solicitáis su desdén,
¿por qué queréis que obren bien
si las incitáis al mal?

Combatís su resistencia,
10 y luego, con gravedad,
decís que fue liviandad[1]
lo que hizo la diligencia.[2]

Parecer quiere el denuedo[3]
de vuestro parecer loco
15 al niño que pone el coco
y luego le tiene miedo.

Queréis con presunción necia
hallar a la que buscáis,
para pretendida, Thais,[4]
20 y en la posesión, Lucrecia.[5]

¿Qué humor[6] puede ser más raro
que el que, falto de consejo,

---

1. liviandad: ligereza.
2. diligencia: cuidado, atención puesta en ejecutar algo.
3. denuedo: esfuerzo.
4. Thais: cortesana griega muy famosa por su atrevimiento.
5. Lucrecia fue una dama romana que se convirtió en símbolo de la virtud, al suicidarse para no ser violada.
6. humor: comportamiento.

él mismo empaña el espejo
y siente que no esté claro?

25 Con el favor y el desdén
tenéis condición igual,
quejándoos, si os tratan mal,
burlándoos, si os quieren bien.

Opinión, ninguna gana,
30 pues la que más se recata,
si no os admite, es ingrata
y si os admite, es liviana.

Siempre tan necios andáis
que, con desigual nivel,
35 a una culpáis por cruel
y a otra por fácil culpáis.

Pues ¿cómo ha de estar templada[7]
la que vuestro amor pretende,
si la que es ingrata ofende
40 y la que es fácil enfada?

Mas entre el enfado y pena
que vuestro gusto refiere,
bien haya la que no os quiere
y quejaos en hora buena.

45 Dan vuestras amantes penas[8]
a sus libertades alas,
y después de hacerlas malas
las queréis hallar muy buenas.

¿Cuál mayor culpa ha tenido
50 en una pasión errada,

7. templada: serena, tranquila.
8. Vuestras penas de amante.

la que cae de rogada
o el que ruega de caído?[9]

¿O cuál es más de culpar,
aunque cualquiera mal haga:
55 la que peca por la paga,
o el que paga por pecar?

Pues ¿para qué os espantáis
de la culpa que tenéis?
Queredlas cual las hacéis
60 o hacedlas cual las buscáis.

Dejad de solicitar,
y después, con más razón,
acusaréis la afición[10]
de la que os fuere a rogar.

65 Bien con muchas armas fundo
que lidia vuestra arrogancia,
pues en promesa e instancia
juntáis diablo, carne y mundo.[11]

PROPUESTAS DE TRABAJO

1. Realiza un análisis formal y de contenido, y señala especialmente las partes en que se divide el poema.

2. Presta especial atención al léxico y las figuras retóricas empleadas, desde el mismo epígrafe: ¿cuál es el rasgo que destaca?

---

9. El hombre ruega porque ha caído en la pasión amorosa.
10. afición: amor.
11. El diablo, la carne y el mundo son, según la doctrina cristiana, los tres enemigos del alma.

3. Señala la combinación de un léxico sencillo con referencias mitológicas.

4. ¿Dónde está la mayor intensidad del texto? ¿Es un texto ascendente —donde la intensidad se encuentra al final— o descendente?

5. Relaciona el texto con el espíritu del Barroco.

6. Reflexiona sobre la modernidad de los planteamientos del texto y sobre su vigencia.

Recursos en internet:
<http://www.cervantesvirtual.com/portales/sor_juana_ines_de_la_cruz/>

14

JOSÉ DE ESPRONCEDA

Nacido en Almendralejo (Badajoz), pero criado en Madrid, la vida y la obra de Espronceda (1808-1842) son una muestra evidente de las zozobras de su tiempo. Desde los quince años manifestó su rebeldía, su deseo de libertad y su lucha contra la tiranía. En adelante no dejaría ya nunca de combatir por estos ideales, tanto desde la acción política y social como desde la literatura. Revolucionario y apasionado, estuvo exiliado en Lisboa, donde conoció a su gran amor, Teresa Mancha (quien lo abandonó en 1837). Después vivió en Londres, Bruselas y París, participando activamente en diversas acciones revolucionarias.

En su obra poética se han señalado tres etapas: una primera de formación (con el poeta neoclásico Alberto Lista); la segunda de transición hacia el Romanticismo, y la tercera, ya plenamente romántica. Esta última es la más personal y también la más valorada por la crítica. Destacan de esta época obras como la *Canción del pirata* o los poemas dedicados a los parias de la sociedad, tales como «El mendigo», «El reo de muerte» o «El verdugo». Dos son sus grandes poemas narrativos: *El estudiante de Salamanca* (basado en la leyenda de don Juan, tan grata al Romanticismo) y *El diablo mundo*. Desde el punto de vista formal, debe destacarse su capacidad para experimentar con los metros y formas tradicionales.

(A XXX dedicándole estas poesías)[1]

Marchitas ya las juveniles flores,
nublado el sol de la esperanza mía,
hora tras hora cuento y mi agonía
crecen y mi ansiedad y mis dolores.

5 Sobre terso cristal, ricos colores
pinta alegre, tal vez, mi fantasía,
cuando la triste realidad sombría
mancha el cristal y empaña sus fulgores.[2]

Los ojos vuelvo en su incesante anhelo,
10 y gira en torno indiferente el mundo,
y en torno gira indiferente el cielo.

A ti las quejas de mi mal profundo,
hermosa sin ventura, yo te envío:
mis versos son tu corazón y el mío.

PROPUESTAS DE TRABAJO

Para comentar el poema conviene tener en cuenta que es el que abre su libro *Poesías* (1840).

1. ¿Qué características del Romanticismo podemos apreciar en este soneto?

2. Señala su relación formal con otros sonetos que has visto en esta misma antología. ¿Qué semejanzas y diferencias hallas?

---

1. Probablemente XXX es Teresa Mancha.
2. fulgores: resplandores.

3. ¿Cuál es el tono predominante en el poema?

4. ¿Qué relación se establece entre el yo poético y su entorno?

5. ¿Qué sentido tiene el paralelismo entre los versos 10 y 11?

6. Explica el último verso teniendo en cuenta el concepto del «yo poético».

Recursos en internet:
<http://www cervantesvirtual com/bib/bib_autor/espronceda/>

15

GUSTAVO ADOLFO BÉCQUER

Gustavo Adolfo Bécquer (1836-1870) nació en Sevilla, en una familia de pintores (lo fueron su padre y su hermano, y también él estudió pintura). Como tantos otros jóvenes con inquietudes poéticas de su tiempo, se fue a Madrid a probar fortuna, pero las circunstancias políticas y profesionales (así como también las amorosas) le fueron adversas. Bécquer es una de las cimas del Romanticismo poético español. Representa, junto a Rosalía de Castro, el Romanticismo tardío, caracterizado por un tono intimista muy influenciado por el Romanticismo alemán (especialmente por Heine), y ejecutado mediante un lenguaje sencillo y unas formas estróficas breves, consiguiendo crear un tono muy evocador y un mundo muy auténtico que ha sido considerado precursor del simbolismo. Sus dos obras principales son sus *Rimas* y sus *Leyendas.* Cultivó la poesía pero también la prosa. Su influencia en la literatura posterior (Juan Ramón Jiménez, Antonio Machado o Luis Cernuda, entre otros) será muy amplia.

DEL SALÓN EN EL ÁNGULO OSCURO

RIMAS (1868)

Del salón en el ángulo oscuro,
de su dueña tal vez olvidada,
silenciosa y cubierta de polvo,
veíase el arpa.
5 ¡Cuánta nota dormía en sus cuerdas,
como el pájaro duerme en las ramas,
esperando la mano de nieve
que sabe arrancarlas!

¡Ay! —pensé—, cuántas veces el genio
10 así duerme en el fondo del alma,
y una voz, como Lázaro, espera
que le diga: «¡Levántate y anda!».[1]

PROPUESTAS DE TRABAJO

1. Compara este poema con el de Espronceda y señala por qué hablamos aquí de un Romanticismo diferente.
2. ¿Qué sentido tiene el uso de la alusión musical?
3. Hazte la misma pregunta en lo que respecta a la alusión a la naturaleza y la cita bíblica.
4. ¿Qué colores predominan en el poema?
5. ¿Qué relación hay entre todo ello y las características del Romanticismo?

1. Cita de la Biblia (Juan 11,38), cuando Jesucristo, al pronunciar estas palabras, hace que Lázaro resucite.

Recursos en internet:
<http://www.cervantesvirtual.com/bib/bib_autor/bec quer/>
<http://www.materialesdelengua.org/LITERATURA/HISTORIA_LITERATURA/BECQUER/index_bec quer htm>

Bibliografía complementaria:
Esta rima ha sido comentada por J. M. Díez Taboada: «Análisis estilístico de la Rima VII de Bécquer», *Boletín de la Sociedad Castellonense de Cultura*, XXXV (1959), pp. 76-80. También es muy recomendable la edición de *Rimas* a cargo de Jesús Rubio Jiménez (Alianza, Madrid, 2004) por su utilidad didáctica.

16

ROSALÍA DE CASTRO

Rosalía de Castro (1837-1885) es la gran poeta de Galicia, aunque escribió también novela y prosa costumbrista. Su obra está muy próxima a la de Bécquer en muchos sentidos (tanto por el tono intimista como por la sencillez del lenguaje) y la caracteriza sobre todo su profundo amor por el paisaje gallego. También está marcada por un tono triste, melancólico, que probablemente hunde sus raíces en sus desgraciadas circunstancias personales desde la misma infancia, que no mejoraron tras casarse con el también escritor Manuel Murguía. Entre sus obras destacan *Cantares galegos* (1863), *Follas novas* (1880) —dos textos fundamentales para el Rexurdimento gallego— y *En las orillas del Sar* (1884), escrito en castellano, donde destaca su carácter de lucha contra la hipocresía y su rebeldía social, así como la sinceridad de su sentimiento religioso, muy alejado del convencionalismo al uso.

ADIÓS, RÍOS; ADIÓS, FUENTES
CANTARES GALEGOS (1863)

Adiós, ríos; adiós, fuentes,
adiós, regatos pequeños,
adiós, visión de mis ojos;
no sé cuándo nos veremos.[1]

5 Tierra mía, tierra mía,
tierra donde me crié,
huertillo que quiero tanto,
higueruelas que planté,

prados, ríos, arboledas,
10 pinares que mueve el viento,
pajarillos piadores,
casilla de mi contento,

molino de los castaños,
noches de luna clara,
15 campanitas tañedoras[2]
de la iglesia del lugar,

morillas de los zarzales
que yo le daba a mi amor,
senderillos entre el millo,[3]
20 ¡adiós para siempre, adiós!

¡Adiós, gloria! ¡Adiós, contento!
¡Dejo casa en que nací,
dejo mi aldea de siempre
por un mundo que no vi!

---

1. Esta primera estrofa es un poema popular, que la autora glosa en el resto de la composición.
2. tañer: tocar un instrumento musical, en especial una campana.
3. millo: maíz.

25 Dejo amigos por extraños,
dejo vega por el mar;
dejo, en fin, lo que más amo...
¡Quién pudiera no dejarlo!...

....

Pero soy pobre y, ¡mal pecado!,
30 mi tierra no es mía,
pues hasta le dan de prestado
la orilla por do camina
al que nació desdichado.

Os tengo, pues, que dejar,
35 huertillo que tanto amé
higueruela de mi hogar,
arbolillos que planté,
fontana del cabañal.[4]

Adiós, adiós, que me voy,
40 verdores del camposanto,
donde a mi padre enterraron,
verdor que he besado tanto,
tierra que nos ha criado.

Adiós Virgen de la Asunción,
45 blanca como un serafín:[5]
os llevo en el corazón;
pedidle a Dios por mí,
mi Virgen de la Asunción.

Ya se oyen lejos, muy lejos...
50 las campanas del Pomar,
para mí, ¡ay, cuitadísimo!
nunca más han de tocar.

---

4. cabañal: camino o vereda.
5. serafín: ángel.

Ya se oyen lejos, más lejos...
Cada tañido un dolor;
55 me voy solo, sin arrimo...
Tierra mía, ¡adiós!, ¡adiós!

¡Adiós también, queridísima...!
¡Adiós por siempre, quizá...!
Te digo este adiós llorando
60 desde la orilla del mar.

No me olvides, queridísima,
si muero de nostalgia...
Tantas leguas mar adentro...
¡Mi casita!, ¡mi hogar!

[Versión original en gallego]:

Adiós, ríos; adiós, fontes;
adiós, regatos pequenos;
adiós, vista dos meus ollos:
non sei cando nos veremos.

5 Miña terra, miña terra,
terra donde me eu criéi,
hortiña que quero tanto,
figueiriñas que prantéi,

prados, ríos, arboredas,
10 pinares que move o vento,
paxariños piadores,
casiña do meu contento,

muíño dos castañares,
noites craras de luar,
15 campaniñas trimbadoras,
da igrexiña do lugar,

amoriñas das silveiras
que eu lle daba ó meu amor,
camiñinos antre o millo,
20 ¡adiós, para sempre adiós!

¡Adiós, groria! ¡Adiós contento!
¡Deixo a casa onde nacín,
deixo a aldea que conoso
por un mundo que non vin!

25 Deixo amigos por estraños,
deixo a veiga polo mar,
deixo, en fin, canto ben quero...
¡Quen pudera no o deixar!...

....

Mais son probe e, ¡mal pecado!,
30 a miña terra n'é miña,
que hastra lle dan de prestado
a beira por que camiña
ó que nacéu desdichado.

Téñovos, pois, que deixar,
35 hortiña que tanto améi,
fogueiriña do meu lar,
arboriños que prantéi,
fontiña do cabañar.

Adiós, adiós, que me vou,
40 herbiñas do camposanto,
donde meu pai se enterróu,
herbiñas que biquéi tanto,
terriña que nos crióu.

Adiós Virxe da Asunción,
45 branca como un serafín;
lévovos no corasón:

pedídelle a Dios por min,
miña Virxe da Asunción.

Xa se oien lonxe, moi lonxe,
50 as campanas do Pomar;
para min, ¡ai!, coitadiño,
nunca máis han de tocar.

Xa se oien lonxe, máis lonxe...
Cada balada é un dolor;
55 voume soio, sin arrimo...
¡Miña terra, ¡adiós!, ¡adiós!

¡Adiós tamén, queridiña...!
¡Adiós por sempre, quizáis...!
Dígoche este adios chorando
60 desde a beiriña do mar.

Non me olvides, queridiña,
si morro de soidás...
Tantas légoas mar adentro...
¡Miña casiña!, ¡meu lar!

PROPUESTAS DE TRABAJO

Se recomienda leer y escuchar la versión original en gallego (para captar plenamente la verdadera hondura y arte poético de la autora), que puede hallarse en los enlaces de internet señalados más adelante.

1. Explica la estructura del texto y señala qué recursos emplea para aumentar la intensidad emocional. ¿Quién es el destinatario del poema?

2. Señala la presencia del *locus amoenus* e indica si aprecias la presencia de otros tópicos que ya se han trabajado en los textos anteriores.

3. ¿Cuál es la palabra más repetida en el poema y por qué?

4. Identifica los recursos de la poesía popular y su valor estructurante.

5. ¿Qué valor tiene el abundante empleo del diminutivo?

6. ¿Qué relación tiene el poema con la realidad histórica de Galicia y con la biografía de la autora?

7. Compara este poema con los de Bécquer y Espronceda recogidos en esta antología y extrae conclusiones al respecto.

Recursos en internet:
<http://www.letrasgalegas.org/bib_autor/rosaliadecastro//>
<http://rosaliadecastro.org/>
<http://www.youtube.com/watch?v=86nzpo_Hafo>
(versión musical de Amancio Prada, muy recomendable).

17

RUBÉN DARÍO

Félix Rubén García Sarmiento, más conocido como Rubén Darío (1867-1916), fue el introductor del modernismo en España, lo que supuso una renovación en todos los ámbitos de las letras peninsulares. Nacido en Metapa (Nicaragua), fue periodista y diplomático, lo cual le permitió realizar varios viajes a Europa que resultaron decisivos. En primer lugar viajó a París, donde entró en contacto con los poetas del simbolismo y el parnasianismo. En el año crucial (en todos los sentidos) de 1898 viajó a Madrid, donde entabló relación con los escritores de la mal llamada Generación del 98. Su obra está marcada por el deseo de belleza y por el rechazo de una sociedad que no le gustaba (el modernismo es, en cierto modo, un neorromanticismo), de la que se evade precisamente recreando paisajes exóticos o pertenecientes a épocas pretéritas (ya sea la Antigüedad grecolatina o el ambiente versallesco), todo ello marcado por la sensualidad, el color y un fuerte tono vitalista reforzado por una gran cantidad de recursos fónicos que aumentan la musicalidad de su obra. Buenos ejemplos de todo esto pueden hallarse en *Azul* (1888) y en *Prosas profanas* (1896). El tono (aunque no la intensidad) varía en *Cantos de vida y esperanza* (1905), donde aparecen temas como el paso del tiempo, la pérdida de la juventud y la angustia de la muerte.

CANCIÓN DE OTOÑO EN PRIMAVERA
CANTOS DE VIDA Y ESPERANZA (1905)

A Gregorio Martínez Sierra[1]

Juventud, divino tesoro,
¡ya te vas para no volver!
Cuando quiero llorar, no lloro...
y a veces lloro sin querer...

5 Plural ha sido la celeste
historia de mi corazón.
Era una dulce niña, en este
mundo de duelo y aflicción.

Miraba como el alba pura;
10 sonreía como una flor.
Era su cabellera oscura
hecha de noche y de dolor.

Yo era tímido como un niño.
Ella, naturalmente, fue,
15 para mi amor hecho de armiño,[2]
Herodías y Salomé...[3]

Juventud, divino tesoro
¡ya te vas para no volver!

---

1. Gregorio Martínez Sierra (Madrid, 1881-1947) fue un escritor modernista y un destacado personaje en la introducción y el desarrollo del modernismo en España, por su labor como promotor de revistas y editoriales.

2. armiño: mamífero pequeño, de piel suave y delicada, con el que se hacían los mantos de los reyes.

3. Herodías: personaje bíblico, esposa de Herodes y madre de Salomé, que contribuyó a la ejecución de Juan el Bautista. La figura de Salomé es muy frecuente en el modernismo pictórico y literario, por diferentes razones.

Cuando quiero llorar, no lloro...
20 Y a veces lloro sin querer...

Y más consoladora y más
halagadora y expresiva,
la otra fue más sensitiva,[4]
cual no pensé encontrar jamás.

25 Pues a su continua ternura
una pasión violenta unía.
En un peplo[5] de gasa pura
una bacante[6] se envolvía...

En sus brazos tomó mi ensueño
30 y lo arrulló como a un bebé...
Y le mató, triste y pequeño
falto de luz, de fe...

Juventud, divino tesoro,
¡te fuiste para no volver!
35 Cuando quiero llorar, no lloro...
Y a veces lloro sin querer...

Otra juzgó que era mi boca
el estuche de su pasión
y que me roería, loca,
40 con sus dientes el corazón,

poniendo en un amor de exceso
la mira de su voluntad,
mientras eran abrazo y beso
síntesis de la eternidad;

---

4. sensitiva: sensible.

5. peplo: vestidura amplia sin mangas, usada por las mujeres en la antigua Grecia.

6. bacante: mujer que celebraba las fiestas bacanales, caracterizadas por su lujuria.

45 y de nuestra carne ligera
imaginar siempre un Edén,
sin pensar que la Primavera
y la carne acaban también...

Juventud, divino tesoro,
50 ¡ya te vas para no volver!
Cuando quiero llorar, no lloro...
¡y a veces lloro sin querer!

¡Y las demás! En tantos climas,
en tantas tierras siempre son,
55 si no pretexto de mis rimas,
fantasmas de mi corazón.

En vano busqué a la princesa
que estaba triste de esperar.
La vida es dura. Amarga y pesa.
60 ¡Ya no hay princesa que cantar!

Mas a pesar del tiempo, terco,
mi sed de amor no tiene fin;
con el cabello gris, me acerco
a los rosales del jardín...

65 Juventud, divino tesoro,
¡ya te vas para no volver!
Cuando quiero llorar, no lloro...
Y a veces lloro sin querer...

¡Mas es mía el Alba de oro!

PROPUESTAS DE TRABAJO

1. Realiza un análisis formal del poema, indicando las partes en que se subdivide. ¿Qué papel desempeña la estrofa inicial? (vincula tu respuesta al poema de Rosalía de Castro).

2. Relaciona el poema con los que hemos visto del Romanticismo. ¿Qué elementos concomitantes encuentras?

3. Señala las referencias cultas e indica a qué tradiciones se adscriben.

4. Señala los recursos que tienen que ver con el color y la sensualidad e indica de qué modo contribuye todo ello a la musicalidad del poema.

5. ¿Qué quiere decir el verso final? ¿Por qué está aislado el resto de la composición?

Recursos en internet:
<http://www.cervantesvirtual.com/bib/bib_autor/dario/>
<http://biblioteca.ucm.es/foa/25225 php>

18
ANTONIO MACHADO

Antonio Machado y Álvarez (Sevilla, 1875-Colliure, 1939) es una figura capital de la poesía española del siglo xx. Nació en una familia liberal y culta, y su formación en la madrileña Institución Libre de Enseñanza dejó en él, como en tantos otros alumnos, una huella indeleble. Su obra poética inicial se inscribe en el modernismo, con una buena dosis de intimismo y simbolismo, como se puede apreciar en *Soledades* (1903), obra compuesta después de una fructífera estancia en París, donde estableció importantes relaciones literarias con los escritores más destacados del momento. En 1907 se traslada a Soria como profesor de instituto, y allí conocerá a su gran amor, Leonor Izquierdo, que fallecerá en esa misma ciudad en 1912, precisamente el mismo año en que publica *Campos de Castilla* (considerada por muchos su obra más importante). Por esos años su poesía ha girado ya hacia un tono más crítico con el atraso del país, y el paisaje adquiere cada vez mayor importancia (en la línea del regeneracionismo noventayochista). Se trasladará a Baeza, luego a Segovia y finalmente a Madrid. Los *Proverbios y cantares* (1924), escritos con un estilo popular y sencillo, pero a la vez profundo y sentencioso, son una buena muestra de las preocupaciones que le acompañarán hasta el final de sus días: el tiempo, Dios, la muerte, la crítica social, la tolerancia, la vida como camino... Desde el comienzo de la guerra civil mostró su compromiso inquebrantable con la Segunda República, lo que le llevó al exilio en Colliure (Francia), donde murió a los pocos días de llegar.

FUE UNA CLARA TARDE, TRISTE Y SOÑOLIENTA

SOLEDADES (1907)

VI

Fue una clara tarde, triste y soñolienta
tarde de verano. La hiedra asomaba
al muro del parque, negra y polvorienta...
La fuente sonaba.
5 Rechinó en la vieja cancela mi llave;
con agrio ruido abriose la puerta
de hierro mohoso y, al cerrarse, grave
golpeó el silencio de la tarde muerta.
En el solitario parque, la sonora
10 copla borbollante del agua cantora
me guio a la fuente. La fuente vertía
sobre el blanco mármol su monotonía.
La fuente cantaba: ¿Te recuerda, hermano,
un sueño lejano mi canto presente?
15 Fue una tarde lenta del lento verano.
Respondí a la fuente:
No recuerdo, hermana,
mas sé que tu copla presente es lejana.
Fue esta misma tarde: mi cristal vertía
20 como hoy sobre el mármol su monotonía.
¿Recuerdas, hermano?... Los mirtos talares,
que ves, sombreaban los claros cantares
que escuchas. Del rubio color de la llama,
el fruto maduro pendía en la rama,
25 lo mismo que ahora. ¿Recuerdas, hermano?...
Fue esta misma lenta tarde de verano.
—No sé qué me dice tu copla riente
de ensueños lejanos, hermana la fuente.

Yo sé que tu claro cristal de alegría
30 ya supo del árbol la fruta bermeja;
yo sé que es lejana la amargura mía
que sueña en la tarde de verano vieja.
Yo sé que tus bellos espejos cantores
copiaron antiguos delirios de amores:
35 mas cuéntame, fuente de lengua encantada,
cuéntame mi alegre leyenda olvidada.
—Yo no sé leyendas de antigua alegría,
sino historias viejas de melancolía.
Fue una clara tarde del lento verano...
40 Tú venías solo con tu pena, hermano;
tus labios besaron mi linfa serena,
y en la clara tarde dijeron tu pena.
Dijeron tu pena tus labios que ardían;
la sed que ahora tienen, entonces tenían.
45 —Adiós para siempre la fuente sonora,
del parque dormido eterna cantora.
Adiós para siempre; tu monotonía,
fuente, es más amarga que la pena mía.
Rechinó en la vieja cancela mi llave;
50 con agrio ruïdo abriose la puerta
de hierro mohoso y, al cerrarse, grave
sonó en el silencio de la tarde muerta.

PROPUESTAS DE TRABAJO

1. Identifica las partes del poema y el tema.
2. Presta especial atención a la riqueza sensorial del poema, indicando qué recursos se emplean para ello.
3. Señala de qué modo se produce la identificación del poeta con el paisaje.

4. Busca información sobre el simbolismo de la fuente.

5. ¿Podemos identificar en este poema características propias del Romanticismo? (compáralo con textos de poetas románticos recogidos en esta antología).

Recursos en internet:
<http://www.materialesdelengua.org/LITERATURA/HISTORIA_LITERATURA/MACHADO/index_machado.htm>
<http://www.antoniomachado.com/?p=6165>
<http://www.abelmartin.com/guia/guia.html>
<http://jaserrano.nom.es/Machado/>
Es muy recomendable la audición de la versión musical de algunos textos de Machado realizada por Juan Manuel Serrat: <http://www.youtube.com/watch?v=Lj-W6D2LSlo>

19

JUAN RAMÓN JIMÉNEZ

Juan Ramón Jiménez (Moguer, Huelva 1881-Puerto Rico, 1958) es el poeta por excelencia y el máximo renovador de la lírica española del siglo XX, todo lo cual le valió el Premio Nobel de Literatura en 1956. Desde muy joven se entregó por entero y de manera absolutamente obsesiva a la poesía (su Obra). De carácter depresivo, estuvo en varios sanatorios hasta que se instaló, a partir de 1911, en la Residencia de Estudiantes (Madrid), donde se convirtió en faro y guía para los jóvenes poetas. En 1916 se casó con Zenobia Camprubí (que tuvo también un papel fundamental en la consecución de la Obra juanramoniana) y en ese mismo año hizo un viaje a Nueva York del que surgió un libro capital para la poesía española: *Diario de un poeta recién casado.* Tras la guerra civil se exilió a América, y se instaló de manera permanente en Puerto Rico, donde falleció.

Su evolución poética (siempre basada en la revisión constante y en la búsqueda de la perfección y la belleza) la resumió el propio poeta en un famoso poema («Vino, primero pura»), curiosamente escrito en fecha muy temprana. Si bien su obra arranca siguiendo muy de cerca las directrices del modernismo entonces imperante *(Ninfeas, Almas de violeta)*, pasa luego a una poesía más sentimental *(Arias tristes, Jardines lejanos)*, para llegar finalmente a la poesía pura o desnuda, que empieza justamente a partir de 1916 con *Diario de un poeta recién casado.* El propio poeta subdividió esta época en dos partes: la época intelectual (*Eternidades, Piedra y cielo* o *La estación total*), que llega hasta la guerra civil; y la época «suficiente» o «verdadera», ejecutada íntegramente en el exilio y que se manifiesta en obras como *En el otro costado* (1942) o *Dios deseado y deseante* (1949), donde prevalecen un lirismo y un misticismo muy originales.

SOLEDAD (1 DE FEBRERO)
DIARIO DE UN POETA RECIÉN CASADO (1916)

En ti estás todo, mar, y sin embargo,
¡qué sin ti estás, qué solo,
qué lejos, siempre, de ti mismo!

Abierto en mil heridas, cada instante,
5 cual mi frente,
tus olas van, como mis pensamientos,
y vienen, van y vienen,
besándose, apartándose,
en un eterno conocerse,
10 mar, y desconocerse.

Eres tú, y no lo sabes,
tu corazón te late y no lo siente...
¡Qué plenitud de soledad, mar sólo!

PROPUESTAS DE TRABAJO

1. ¿Qué relación tiene el epígrafe con el título del libro en el que está recogido el poema?

2. ¿Qué sentido tiene la repetición de palabras? ¿Y el uso reiterado de gerundios?

3. Compara la estructura del poema con el vaivén de las olas y reflexiona sobre la fusión que se produce entre el pensamiento y la palabra, entre la idea y su expresión poética.

4. ¿El poema es ascendente o descendente? ¿Dónde está el momento de máxima intensidad del texto?

5. Busca información sobre el cambio que se produce en la vida y en la obra de Juan Ramón Jiménez a partir de 1916, y como afecta todo ello a la evolución de la poesía española.

Recursos en internet:
<http:/www.fundacion-jrj.es>
<http://jaserrano.nom.es/JRJ>

Otros recursos:
El texto ha sido comentado por José Luis Tejada (1983): «Una visión del mar o del poeta en el *Diario...* de Juan Ramón Jiménez», en AA.VV.: *Actas del Congreso Internacional conmemorativo del Centenario de Juan Ramón Jiménez*, tomo II, Diputación Provincial de Huelva, Instituto de Estudios Onubenses, Huelva, pp. 559-567. Puede consultarse en: <http://webcache.googleusercontent.com/search?q=cache:PK6i96nLJVEJ:www.cervantesvirtual.com/descargaPdf/una-visin-del-mar-o-del-poeta-en-el-diario-de-juan-ramn-jimnez-0/+&cd=7&hl=es&ct=clnk&gl=es&client=firefox-a>

20

PEDRO SALINAS

Pedro Salinas (Madrid, 1891-Boston, 1951) es miembro del Grupo del 27. Como otros miembros de este grupo, fue poeta y profesor universitario, y esa doble condición se nota en su obra y en su excelente dominio de la tradición. Fue lector en la Universidad de la Sorbona y también en Cambridge, y catedrático en las de Sevilla y Murcia. Además, trabajó en el Centro de Estudios Históricos de Madrid y en la Universidad Internacional de Verano de Santander. Se exilió a causa de la guerra civil y continuó su labor profesional en el Wellesley College, la Universidad John Hopkins y la Universidad de Puerto Rico.

Salinas entiende la poesía como un modo de ahondar en la realidad, y en una fase inicial su obra está muy influenciada por la poesía de Juan Ramón Jiménez. Así se puede apreciar en *Presagios* (1923), *Seguro azar* (1929) o *Fábula y signo* (1931). Su obra más importante se da en la llamada segunda etapa y es una trilogía sobre el amor (Salinas es uno de los grandes poetas del amor): *La voz a ti debida* (1933), *Razón de amor* (1936) y *Largo lamento* (1938). La tercera etapa de su obra es la creada en el exilio: sus tres últimos libros (*El contemplado*, 1946; *Todo más claro*, 1949; y *Confianza*, 1955) representan un giro hacia la búsqueda de la paz espiritual, la expresión de sus inquietudes existenciales y su preocupación por un mundo cada vez más materialista y deshumanizado. Emplea un léxico sencillo y sugerente, y similar sencillez hallamos en las formas métricas que elige. Aunque destacó sobre todo como poeta, cultivó también la narrativa, el ensayo y el teatro.

PARA VIVIR NO QUIERO
LA VOZ A TI DEBIDA (1933)

Para vivir no quiero
islas, palacios, torres.
¡Qué alegría más alta:
vivir en los pronombres!

5 Quítate ya los trajes,
las señas, los retratos;
yo no te quiero así,
disfrazada de otra,
hija siempre de algo.
10 Te quiero pura, libre,
irreductible: tú.
Sé que cuando te llame
entre todas las gentes
del mundo,
15 sólo tú serás tú.
Y cuando me preguntes
quién es el que te llama,
el que te quiere suya,
enterraré los nombres,
20 los rótulos, la historia.
Iré rompiendo todo
lo que encima me echaron
desde antes de nacer.
Y vuelto ya al anónimo
25 eterno del desnudo,
de la piedra, del mundo,
te diré:
«Yo te quiero, soy yo».

PROPUESTAS DE TRABAJO

1. Realiza un análisis formal y de contenido, señalando las partes del poema y su estructura. Presta especial atención al léxico empleado.

2. Glosa los versos 3 y 4: ¿qué significa «vivir en los pronombres? (reflexiona sobre la realidad y su representación mediante la palabra).

3. Reflexiona sobre la relación que se establece entre querer y ser.

4. Busca información sobre Pedro Salinas y Katherine Whitmore.

5. Relaciona este texto con el de Juan Ramón Jiménez.

Recursos en internet:
<http://www.cervantesvirtual.com/obra-visor/la-poesa-de-pedro-salinas-0/html/00f17c8a-82b2-11df-acc7-002185ce6064_2.html>
Puede escucharse una versión recitada por el propio poeta en: <http://www.youtube.com/watch?v=uCBRnXLO7sg>

21

JORGE GUILLÉN

La biografía de Jorge Guillén (Valladolid, 1893-Málaga, 1984) guarda muchos paralelismos con la de su amigo Pedro Salinas, pues ambos pertenecieron al Grupo del 27, fueron profesores universitarios (también Guillén fue lector en la Sorbona y profesor en Murcia y Sevilla), y se tuvieron que marchar al exilio estadounidense, aunque Guillén pudo regresar a España en 1977. En lo que atañe a su poesía, Guillén es el mejor continuador de la «poesía pura» propugnada en España por Juan Ramón Jiménez y en Francia por Paul Valéry, una poesía que busca la emoción estética desprovista de todo aditamento innecesario. Guillén, como Juan Ramón, busca la perfección y la plenitud, y se muestra entusiasmado al comprobar la armonía entre el hombre y la creación.

Se han distinguido tres épocas en su creación poética. La primera va de 1928 a 1950 y está representada por *Cántico*, libro que fue ampliado en varias ocasiones pero siempre bajo la idea básica de reflejar el optimismo y vitalismo del poeta, que celebra la realidad con un estilo denso, abstracto y complejo; formalmente suele emplear estrofas clásicas, como la décima. La segunda etapa implica un importante cambio vital y estilístico, motivado por el pesimismo tras la segunda guerra mundial, y está representada por *Clamor*, que incluye obras como *Maremagnum*, *Que van a dar en la mar* y *A la altura de las circunstancias*. En ellas Guillén muestra su pesimismo y denuncia la destrucción, pero con un estilo más sencillo. En la tercera etapa, formada por *Homenaje*, continúa con el estilo sencillo, pero atenúa su crítica y denuncia para centrarse en temas como la amistad o las lecturas. El conjunto de su obra completa se reeditó bajo el título *Aire nuestro*.

Sobre el poema aquí recogido escribió José Manuel Blecua en su introducción a la edición de 1936: «"Más allá" [...] constituye de hecho una introducción explicativa; casi una condensación de todo el libro; como una llave para introducirnos en el meollo de la posición del poeta frente a la realidad».

MÁS ALLÁ

CÁNTICO (1928)

I

(El alma vuelve al cuerpo,
se dirige a los ojos
y choca) —¡Luz! Me invade
todo mi ser. ¡Asombro!

5 Intacto aún, enorme,
rodea el tiempo. Ruidos
irrumpen. ¡Cómo saltan
sobre los amarillos

todavía no agudos
10 de un sol hecho ternura
de rayo alboreado
para estancia difusa,

mientras van presentándose
todas las consistencias

15 que al disponerse en cosas
me limitan, me centran!

¿Hubo un caos? Muy lejos
de su origen, me brinda
por entre hervor de luz
20 frescura en chispas. ¡Día!

Una seguridad
se extiende, cunde, manda.
El esplendor aploma[1]
la insinuada mañana.

25 Y la mañana pesa,
vibra sobre mis ojos,
que volverán a ver
lo extraordinario: todo.

Todo está concentrado
30 por siglos de raíz
dentro de este minuto,
eterno y para mí.

Y sobre los instantes
que pasan de continuo
35 voy salvando el presente,
eternidad en vilo.

Corre la sangre, corre
con fatal avidez.
A ciegas acumulo
40 destino: quiero ser.

Ser, nada más. Y basta.
Es la absoluta dicha.

---

1. aploma: aumenta el peso.

¡Con la esencia en silencio
tanto se identifica!

45 ¡Al azar de las suertes
únicas de un tropel
surgir entre los siglos,
alzarse con el ser,

y a la fuerza fundirse
50 con la sonoridad
más tenaz: sí, sí, sí,
la palabra del mar!

Todo me comunica,
vencedor, hecho mundo,
55 su brío para ser
de veras real, en triunfo.

Soy, más: estoy. Respiro.
Lo profundo es el aire.
La realidad me inventa,
60 soy su leyenda. ¡Salve!

II

No, no sueño. Vigor
de creación concluye
su paraíso aquí:
penumbra de costumbre.

65 Y este ser implacable
que se me impone ahora
de nuevo —vaguedad
resolviéndose en forma

de variación de almohada,
70 en blancura de lienzo,

en mano sobre embozo,
en el tendido cuerpo

que aún recuerda los astros
y gravita bien— este
75 ser avasallador
universal, mantiene

también su plenitud
en lo desconocido:
un más allá de veras
80 misterio, realísimo.

III

¡Más allá! Cerca de veces,
muy cerca, familiar
alude a unos enigmas.
Corteses, ahí están.

85 Irreductibles, pero
largos, anchos, profundos
enigmas —en sus masas.
Yo los toco, los uso.

Hacia mi compañía
90 la habitación converge.
¡Qué de objetos! Nombrados,
se allanan a la mente.

Enigmas son aquí
viven para mi ayuda,
95 amables a través
de cuanto me circunda

sin cesar con la móvil
trabazón de unos vínculos

que a cada instante acaban
100 de cerrar su equilibrio.

IV

El balcón, los cristales,
unos libros, la mesa.
¿Nada más esto? Sí,
maravillas concretas.

105 Material jubiloso
convierte en superficie
manifiesta a sus átomos
tristes, siempre invisibles.

Y por un filo escueto,
110 o al amor de una curva
de asa, la energía
de plenitud actúa.

¡Energía o su gloria!
En mi dominio luce
115 sin escándalo dentro
de lo tan real, hoy lunes.

Y ágil, humildemente,
la materia apercibe
gracia de Aparición:
120 esto es cal, esto es mimbre.

V

Por aquella pared,
bajo un sol que derrama,
dora y sombra claros
caldeados, la calma

125 soleada varía.
Sonreído va el sol
por la pared. ¡Gozosa
materia en relación!

Y mientras, lo más alto
130 de un árbol —hoja a hoja
soleándose, dándose,
todo actual— me enamora.

Errante en el verdor
un aroma presiento,
135 que me regalará
su calidad: lo ajeno,

lo tan lejano que es
allá en sí mismo. Dádiva[2]
de un mundo irremplazable:
140 voy por él a mi alma.

VI

¡Oh perfección! Dependo
del total más allá,
dependo de las cosas.
Sin mí son y ya están

145 proponiendo un volumen
que ni soñó la mano,
feliz de resolver
una sorpresa en acto.

Depende en alegría
150 de un cristal de balcón,

2. dádiva: regalo.

de ese lustre que ofrece
lo ansiado a su raptor,

y es de veras atmósfera
diáfana de mañana,
155 un alero, tejados,
nubes allí, distancias.

Suena a orilla de abril
el gorjeo esparcido
por entre los follajes
160 frágiles. (Hay rocío.)

Pero el día al fin logra
rotundidad humana
de edificio y refiere
su fuerza a mi morada.

165 Así va concertando,
trayendo lejanías,
que al balcón por países
de tránsito deslizan.

Nunca separa el cielo.
170 Ese cielo de ahora
—aire que yo respiro—
de planeta me colma.

¿Dónde extraviarse, dónde?
Mi centro es este punto:
175 cualquiera. ¡Tan plenario
siempre me aguarda el mundo!

Una tranquilidad
de afirmación constante
guía a todos los seres,
180 que entre tantos enlaces

universales, presos
en la jornada eterna,
bajo el sol quieren ser
y a su querer se entregan

185 fatalmente, dichosos
con la tierra y el mar
de alzarse a lo infinito:
un rayo de sol más.

Es la luz del primer
190 vergel, y aún fulge aquí,
ante mi faz, sobre esa
flor, en ese jardín.

Y con empuje henchido
de afluencias amantes
195 se ahínca en el sagrado
presente perdurable

toda la creación,
que al despertarse un hombre
lanza la soledad
200 a un tumulto de acordes.

PROPUESTAS DE TRABAJO

1. Analiza la estructura del poema y para ello resume cada una de las partes.

2. Señala la relación del título con el poema y vincúlalo con las circunstancias del autor y de la época.

3. Explica qué quiere decir el primer verso del poema, y su relación con el tema.

4. Reflexiona sobre el valor del tiempo en los versos 29-40 y su relación con el primer verso.

5. Identifica los elementos de la tradición y cómo son reinterpretados.

6. ¿Qué valor se concede a la palabra? ¿Y a lo material?

7. Glosa la estrofa final.

8. Señala las semejanzas y diferencias entre los poemas aquí recogidos de Jorge Guillén y de Pedro Salinas.

Recursos en internet:
<http://fundacionjorgeguillen.com/>
<http://www.cervantesvirtual.com/obravisor/jorgeguilln poetadifcilo/html/00e591a482b211dfacc7002185ce6064_2 html#I_0_>

22

GERARDO DIEGO

Gerardo Diego (Santander, 1896-Madrid, 1987) también pertenece al Grupo poético del 27 y, como algunos de sus compañeros, fue profesor en varios institutos. En 1925 ganó con *Versos humanos* el Premio Nacional de Literatura, compartido con Rafael Alberti. Fue sin duda uno de los máximos artífices del Grupo poético del 27 gracias a la antología de la *Poesía española*, que publicó en 1932, donde aparecían recogidos buena parte de sus compañeros y maestros, aunque también participó activamente en otras iniciativas generacionales importantes, como el homenaje a Góngora. Al empezar la guerra civil apoyó al bando franquista, lo que le valió una cómoda posición los años siguientes, que fueron para él muy intensos. Precisamente poco después de la guerra civil publica la que se ha considerado su obra maestra: *Alondra de verdad* (1941). Quizá la principal característica de su obra sea la unión de lo tradicional y la vanguardia, y la mezcla de temas y estilos (él mismo se confesaba un apasionado por igual de estilos totalmente distintos o incluso opuestos). Buenas pruebas de ello tenemos desde sus primeros libros, pues si *Imagen* (1922) y *Manual de espumas* (1925) se sitúan en la línea vanguardista del ultraísmo y el creacionismo, en cambio *Fábula de Equis y Zeda* (1932) se ha de ubicar en la corriente gongorina, si bien paulatinamente se fue escorando hacia las formas más tradicionales, como se puede comprobar en su obra posterior.

ROMANCE DEL DUERO

SORIA, 1923

Río Duero, río Duero,
nadie a acompañarte baja,
nadie se detiene a oír
tu eterna estrofa de agua.

5 Indiferente o cobarde
la ciudad vuelve la espalda.
No quiere ver en tu espejo
su muralla desdentada.

Tú, viejo Duero, sonríes
10 entre tus barbas de plata,
moliendo con tus romances
las cosechas mal logradas.

Y entre los santos de piedra
y los álamos de magia
15 pasas llevando en tus ondas
palabras de amor, palabras.

Quién pudiera como tú,
a la vez quieto y en marcha
cantar siempre el mismo verso
20 pero con distinta agua.

Río Duero, río Duero,
nadie a estar contigo baja,
ya nadie quiere atender
tu eterna estrofa olvidada

25 sino los enamorados
que preguntan por sus almas
y siembran en tus espumas
palabras de amor, palabras.

PROPUESTAS DE TRABAJO

1. ¿Por qué crees que se emplea el romance?

2. ¿Qué relación se establece entre el río y lo poético? Busca información sobre el simbolismo del río, y relaciónalo con otros poemas de esta misma antología.

3. ¿Qué recursos de la poesía popular se emplean?

4. ¿Cuál es el tema y la estructura?

5. Señala la relación que tiene este poema con la creación poética y con la concepción de la poesía y el estilo de Gerardo Diego.

Recursos en internet:
<http://www.fundaciongerardodiego.com/>

23

FEDERICO GARCÍA LORCA

Federico García Lorca (1898-1936) es, sin lugar a dudas, el poeta más universal de la literatura española del siglo XX, y ello se debe tanto a la excepcional calidad del conjunto de su obra (cultivó la poesía, el teatro y la prosa) como a las trágicas circunstancias en que murió: ejecutado por el bando franquista al comienzo de la guerra civil. Nacido en Fuentevaqueros (Granada) en una familia terrateniente liberal, desde muy joven mostró excepcionales dotes artísticas (no sólo para la literatura, sino también para la pintura, la música o el teatro), que fueron bien encauzadas. Su infancia en Fuentevaqueros es también determinante en su amor por la tradición popular, de la que estuvo literalmente rodeado. Se alojó en la Residencia de Estudiantes (Madrid) entre 1919 y 1928, y esa etapa resultó capital para su vida y para su obra. Allí cultivó la amistad de Luis Buñuel y Salvador Dalí, entre otros muchos. Desde sus primeras obras se puede apreciar la fusión entre lo culto y lo popular: así lo demuestran el *Libro de poemas* (1921), *Canciones* (1927), el *Romancero gitano* (1928) o el *Poema del cante jondo* (1931). Pero a partir de entonces se inicia la segunda etapa de su obra poética, fuertemente marcada por la influencia del surrealismo y también por una profunda crisis personal, que está muy vinculada a su viaje a Nueva York en 1929, del que surgiría *Poeta en Nueva York* (publicado en 1940). El libro muestra su profundo pesimismo y su crítica frente a la sociedad deshumanizada. Al regresar a España, García Lorca se vincula cada vez más a la causa republicana y sigue cosechando éxitos teatrales, a la par que escribe obras poéticas tan importantes como el «Llanto por la muerte de Ignacio Sánchez Mejías» (1935) o los *Sonetos del amor oscuro* (publicados póstumamente, pero escritos en 1936), donde muestra claramente su homosexualidad.

CIUDAD SIN SUEÑO (NOCTURNO DEL BROOKLYN BRIDGE)
POETA EN NUEVA YORK (1929-1930, PUBLICADO EN 1940)

No duerme nadie por el cielo. Nadie, nadie.
No duerme nadie.
Las criaturas de la luna huelen y rondan sus cabañas.
Vendrán las iguanas vivas a morder a los hombres que no
sueñan
5 y el que huye con el corazón roto encontrará por las esquinas
al increíble cocodrilo quieto bajo la tierna protesta de los astros.

No duerme nadie por el mundo. Nadie, nadie.
No duerme nadie.
Hay un muerto en el cementerio más lejano
10 que se queja tres años
porque tiene un paisaje seco en la rodilla;
y el niño que enterraron esta mañana lloraba tanto
que hubo necesidad de llamar a los perros para que callase.

No es sueño la vida.[1] ¡Alerta! ¡Alerta! ¡Alerta!
15 Nos caemos por las escaleras para comer la tierra húmeda
o subimos al filo de la nieve con el coro de las dalias muertas.
Pero no hay olvido, ni sueño:
carne viva. Los besos atan las bocas
en una maraña de venas recientes

1. Alusión a *La vida es sueño*, de Pedro Calderón de la Barca.

20 y al que le duele su dolor le dolerá sin descanso
y al que teme la muerte la llevará sobre sus hombros.

Un día
los caballos vivirán en las tabernas
y las hormigas furiosas
25 atacarán los cielos amarillos que se refugian en los ojos de las vacas.
Otro día
veremos la resurrección de las mariposas disecadas
y aún andando por un paisaje de esponjas grises y barcos mudos
veremos brillar nuestro anillo y manar rosas de nuestra lengua.

¡Alerta! ¡Alerta! ¡Alerta!
30 A los que guardan todavía huellas de zarpa y aguacero,
a aquel muchacho que llora porque no sabe la invención del puente
o a aquel muerto que ya no tiene más que la cabeza y un zapato,
hay que llevarlos al muro donde iguanas y sierpes esperan,
donde espera la dentadura del oso,
35 donde espera la mano momificada del niño
y la piel del camello se eriza con un violento escalofrío azul.

No duerme nadie por el cielo. Nadie, nadie.
No duerme nadie.
40 Pero si alguien cierra los ojos,
¡azotadlo, hijos míos, azotadlo!
Haya un panorama de ojos abiertos
y amargas llagas encendidas.
No duerme nadie por el mundo. Nadie, nadie.
45 Ya lo he dicho.
No duerme nadie.
Pero si alguien tiene por la noche exceso de musgo en las sienes,
abrid los escotillones[2] para que vea bajo la luna
las copas falsas, el veneno y la calavera de los teatros.

2. escotillón: puerta o trampa en el suelo.

PROPUESTAS DE TRABAJO

1. Señala la relación del subtítulo con la música.

2. Relaciona la forma con el estilo. ¿Por qué crees que utiliza este tipo de versos?

3. ¿Qué sensación te producen las imágenes y metáforas del poema?

4. ¿Te resultan modernos el lenguaje y el enfoque?

5. Señala las referencias bíblicas que hay en el poema.

6. Indica los elementos propios del surrealismo y relaciona el texto con obras pictóricas o cinematográficas de la época.

Recursos en internet:
<http://www.garcialorca.org/Home/Home aspx>
<http://www.huertadesanvicente.com/>
Conviene además escuchar algunas versiones musicadas (las de Paco Ibáñez o Camarón de la Isla, por ejemplo).

24

DÁMASO ALONSO

Dámaso Alonso (Madrid, 1898-1990) inicia su obra poética dentro del Grupo del 27. Su primer libro, en la línea de la vanguardia, titulado *Poemas puros. Poemillas de la ciudad*, es de 1921. Frecuentó el ambiente de la Residencia de Estudiantes y participó en algunas de las revistas más destacadas de su tiempo (como la *Revista de Occidente*), pero publicó su obra más importante en los primeros años de la posguerra: *Hijos de la ira* (1944), poemario que ejerció amplia influencia en la poesía inmediatamente posterior y que inicia lo que se ha dado en llamar «poesía desarraigada». Dámaso expresa aquí su angustia existencial y su postura ante Dios y la muerte, con un estilo muy desgarrado, como se puede comprobar en el poema que figura a continuación. *Hombre y dios* (1955) ahonda en uno de los temas que habían aparecido en el libro anterior. Además de la dimensión poética, en Dámaso Alonso es fundamental su labor como crítico y ensayista. Fue profesor en la Universidad de Madrid y también realizó varias estancias en diversas universidades europeas y americanas. Ingresó en la Real Academia Española en 1948, y fue su director entre 1968 y 1982. Como investigador, se le deben trabajos fundamentales sobre diversos temas y autores de la Edad Media y de los Siglos de Oro, en especial sobre el romancero, la lírica tradicional y Luis de Góngora.

INSOMNIO

HIJOS DE LA IRA (1944)

Madrid es una ciudad de más de un millón de cadáveres
(según las últimas estadísticas).
A veces en la noche yo me revuelvo y me incorporo en este nicho en el que hace 45 años que me pudro,
y paso largas horas oyendo gemir al huracán, o ladrar los perros o fluir blandamente la luz de la luna.
Y paso largas horas gimiendo como el huracán, ladrando como
5 un perro enfurecido, fluyendo como la leche de la ubre caliente de una gran vaca amarilla.
Y paso largas horas preguntándole a Dios, preguntándole por qué se pudre lentamente mi alma,
por qué se pudren más de un millón de cadáveres en esta ciudad de Madrid,
por qué mil millones de cadáveres se pudren lentamente en el mundo.
10 Dime, ¿qué huerto quieres abonar con nuestra podredumbre?
¿Temes que se te sequen los grandes rosales del día,
las tristes azucenas letales de tus noches?

PROPUESTAS DE TRABAJO

1. ¿Qué tipo de imágenes se emplean?

2. Explica el «desarraigo» que se percibe en el poema.

3. Relaciona este poema con el artículo de Larra «El día de difuntos de 1836», con el poema de García Lorca que acabas de leer y con las circunstancias históricas de España en las fechas en que se escribió.

4. ¿Por qué crees que emplea este tipo de métrica? ¿Qué sensación te produce?

Recursos en internet:
<http://www.rae.es/bibliotecayarchivo/biblioteca/legadodamasoalonso>

25

VICENTE ALEIXANDRE

Miembro del Grupo del 27, Vicente Aleixandre (1898-1984) desempeñó un papel fundamental en la poesía española de su tiempo, lo que le valió el Premio Nobel de Literatura en 1977 (que fue, en cierto modo, un modo de premiar a todo el Grupo poético del 27 cuando se cumplía medio siglo de su aparición). Sevillano de nacimiento, pasó su infancia en Málaga y se trasladó a Madrid en 1909. Su carrera parecía orientada hacia el Derecho Mercantil hasta que una importante enfermedad determinó un cambio de rumbo en su vida. A partir de 1925 decidió dedicarse por completo a la literatura, y en 1933 obtuvo el Premio Nacional de Poesía con *La destrucción o el amor.*

En su obra poética se distinguen cuatro etapas. En la primera recibe, como muchos de sus compañeros, la influencia de la poesía pura ejercida por Juan Ramón Jiménez. La segunda, fuertemente influida por el surrealismo, muestra ya cambios tanto en los temas como en el estilo. Obras fundamentales de esta época son *Espadas como labios* (1932), *La destrucción o el amor* (1935) y *Sombra del paraíso* (1944), las tres marcadas por el pesimismo. En la tercera etapa, iniciada con *Historia del corazón* (1955), abandona el pesimismo y tiene un corte más humanista. Esta obra tendrá gran influencia en los poetas más jóvenes, y Aleixandre se convertirá en un referente para todos ellos. En su última etapa vuelve a la poesía filosófica para analizar su propia experiencia desde la vejez; a ella pertenecen *Poemas de la consumación* (1968) y *Diálogos del conocimiento* (1974).

SE QUERÍAN

LA DESTRUCCIÓN O EL AMOR (1935)

Se querían.
Sufrían por la luz, labios azules en la madrugada,
labios saliendo de la noche dura,
labios partidos, sangre, ¿sangre dónde?
5 Se querían en un lecho navío, mitad noche, mitad luz.

Se querían como las flores a las espinas hondas,
a esa amorosa gema del amarillo nuevo,
cuando los rostros giran melancólicamente, giralunas[1]
que brillan recibiendo aquel beso.

10 Se querían de noche, cuando los perros hondos
laten bajo la tierra y los valles se estiran
como lomos arcaicos que se sienten repasados:
caricia, seda, mano, luna que llega y toca.

Se querían de amor entre la madrugada,
15 entre las duras piedras cerradas de la noche,
duras como los cuerpos helados por las horas,
duras como los besos de diente a diente solo.

Se querían de día, playa que va creciendo,
ondas que por los pies acarician los muslos,
20 cuerpos que se levantan de la tierra y flotando...
Se querían de día, sobre el mar, bajo el cielo.

---

1. giraluna: neologismo creado por el autor a partir de «girasol».

Mediodía perfecto, se querían tan íntimos,
mar altísimo y joven, intimidad extensa,
soledad de lo vivo, horizontes remotos
25 ligados como cuerpos en soledad cantando.

Amando. Se querían como la luna lúcida,
como ese mar redondo que se aplica a ese rostro,
dulce eclipse de agua, mejilla oscurecida,
donde los peces rojos van y vienen sin música.

30 Día, noche, ponientes, madrugadas, espacios,
ondas nuevas, antiguas, fugitivas, perpetuas,
mar o tierra, navío, lecho, pluma, cristal,
metal, música, labio, silencio, vegetal,
mundo, quietud, su forma. Se querían, sabedlo.

PROPUESTAS DE TRABAJO

1. Realiza un análisis formal y de contenido, señalando la importancia del paralelismo y su relación con el título.
2. Señala qué elementos de la tradición poética se recogen en el poema y qué sentido nuevo adquieren.
3. ¿A qué se debe la enumeración de la estrofa final? ¿Qué efecto te produce?
4. ¿Qué relaciones puedes establecer entre éste y otros poemas amorosos que has leído en esta antología?
5. ¿Qué efecto produce la repetición?
6. Identifica los rasgos que permiten situar este poema en la segunda etapa de su obra.

Recursos en internet:
<http://www.vicentealeixandre.es/>

26

RAFAEL ALBERTI

La primera vocación artística de Rafael Alberti Merello (El Puerto de Santa María, Cádiz, 1902-1999) no fue la poesía, sino la pintura. Nació en una familia acomodada que se trasladó a Madrid en 1917. Allí el joven Alberti frecuentó la Residencia de Estudiantes, donde conoció a Federico García Lorca y a los demás integrantes del Grupo poético del 27. En 1925 obtuvo el Premio Nacional de Literatura por *Marinero en tierra* (que está en la línea de la tradición popular). Sus siguientes libros fueron *La amante* (1926), *El alba del alhelí* (1927) y *Cal y canto* (1929). Sufrió una profunda crisis personal que le inspirará *Sobre los ángeles* (1929), obra de marcado carácter vanguardista. En 1931 se afilió al Partido Comunista, y su poesía adquiere unos tintes cada vez más sociales y políticos, inaugurando así la etapa de su poesía comprometida, que quedó recogida en *El poeta en la calle* (1931-1935) y *De un momento a otro* (1934-1939). De ahí que se tuviera que exiliar tras la guerra civil (primero en Buenos Aires y luego en Roma). Pudo regresar a España, como muchos otros exiliados, en 1977. En su etapa de poesía del exilio no abandona la preocupación social, pero se aprecia cierto regreso a la actitud lírica, vinculada ahora a la nostalgia de la tierra natal propia del desterrado. Algunos libros importantes de este período son *Entre el clavel y la espada* (1941), *A la pintura* (1948), *Retornos de lo vivo lejano*

(1952), *Ora marítima* (1953), *Canciones y baladas del Paraná* (1954) o *Roma, peligro para caminantes* (1968); tras su regreso del exilio siguió publicando. Es autor de una obra abundante (poesía, prosa, teatro, memorias...), y en su poesía, como en la de muchos de sus compañeros, se mezclan la tradición y la vanguardia.

SI MI VOZ MURIERA EN TIERRA
MARINERO EN TIERRA (1924)

A Rodolfo Halffter[1]

Si mi voz muriera en tierra
llevadla al nivel del mar
y dejadla en la ribera.

Llevadla al nivel del mar
5 y nombradla capitana
de un blanco bajel de guerra.

¡Oh mi voz condecorada
con la insignia marinera:
sobre el corazón un ancla
10 y sobre el ancla una estrella
y sobre la estrella el viento
y sobre el viento la vela!

PROPUESTAS DE TRABAJO

1. Realiza un análisis formal y métrico del poema e indica a qué coordenadas estilísticas del autor y de la época corresponden esas elecciones formales.

1. Compositor español (1900-1987) amigo de Alberti y de otros jóvenes del 27, pues se movía en los mismos círculos culturales que ellos.

2. Busca información sobre la relación entre el poema y el traslado de la familia del poeta a Madrid en 1917.

3. Señala los recursos propios de la poesía popular así como el simbolismo de conceptos como «mar» y «bajel» en la tradición poética hispánica.

4. ¿Puede vincularse el texto con el estilo romántico? Razona tu respuesta.

Recursos en internet:
<http://www.rafaelalberti.es/>
<http://www.cervantesvirtual.com/bib/bib_autor/alberti/>
<http://cvc.cervantes.es/actcult/alberti/>

27
LUIS CERNUDA

Luis Cernuda (Sevilla, 1902-México, 1963) sintió una temprana vocación poética. En la Universidad de Sevilla tuvo como profesor a Pedro Salinas; después se trasladó a Madrid y apoyó con firmeza la causa republicana, lo que motivó su exilio, primero a Gran Bretaña, más tarde a Estados Unidos y finalmente a México. Se ha dicho que es el más romántico de los poetas del 27, y que toda su poesía gira en torno a un conflicto que él supo sintetizar muy bien en el título de su poesía completa: *La realidad y el deseo*, conflicto al que no fue ajena su condición de homosexual. En la primera etapa de su producción poética están más presentes la poesía pura (*Perfil del aire*, 1924-1927) y la vertiente clasicista (*Égloga, elegía y oda*, 1927-1928). En la segunda etapa se deja notar el contacto con el surrealismo, lo que determina un mayor erotismo y rebeldía (*Un río, un amor*, 1929; *Los placeres prohibidos*, 1931). *Donde habite el olvido* (1934) es el resultado de una traumática experiencia amorosa. Con la guerra civil empieza su período de madurez (*Las nubes,* 1937-1940). En la etapa final de su obra, escrita totalmente en el exilio, se marcan cada vez más temas como la vejez, la soledad y el destierro, que generan una nostalgia y un pesimismo cuya máxima expresión hallamos, quizá, en *Desolación de la quimera* (1956-1962). No debe olvidarse la importancia de su prosa poética (*Ocnos,* 1942) y de su labor ensayística. Ha ejercido gran influencia en la poesía posterior.

DONDE HABITE EL OLVIDO

DONDE HABITE EL OLVIDO (1933)

Donde habite el olvido,
en los vastos jardines sin aurora;
donde yo sólo sea
memoria de una piedra sepultada entre ortigas
5 sobre la cual el viento escapa a sus insomnios.

Donde mi nombre deje
al cuerpo que designa en brazos de los siglos,
donde el deseo no exista.

En esa gran región donde el amor, ángel terrible,
10 no esconda como acero
en mi pecho su ala,
sonriendo lleno de gracia aérea mientras crece el tormento.

Allá donde termine este afán que exige un dueño a imagen suya,
sometiendo a otra vida su vida,
15 sin más horizonte que otros ojos frente a frente.

Donde penas y dichas no sean más que nombres,
cielo y tierra nativos en torno de un recuerdo;
donde al fin quede libre sin saberlo yo mismo,
disuelto en niebla, ausencia,
20 ausencia leve como carne de niño.

Allá, allá lejos;
donde habite el olvido.

PROPUESTAS DE TRABAJO

1. Realiza un análisis formal, señalando las partes del poema y el tema.

2. Busca información sobre la relación de este poema con la obra de Bécquer y con la biografía de Cernuda.

3. ¿Qué visión del amor aparece?

4. ¿Qué función tiene la alternancia de versos de distinta medida?

Recursos en internet:
<http://cvc.cervantes.es/ACTCULT/cernuda/>

28

MIGUEL HERNÁNDEZ

Miguel Hernández (Orihuela, Alicante, 1910-Alicante, 1942) pertenece ya a una generación claramente distinta, la de 1936, si bien mantiene estrechos vínculos con el Grupo poético del 27, pues también en él se mezclan la tradición y la vanguardia, lo popular y lo culto, e igualmente evoluciona hacia un compromiso social y político cada vez mayor. De formación autodidacta, cuando llega a Madrid conoce a los miembros del Grupo poético del 27 y a Pablo Neruda, que ejerció una enorme influencia en su giro hacia una poesía más comprometida. Con el comienzo de la guerra civil suceden cambios trascendentales en su vida: se afilió al Partido Comunista, se casó en 1937 y participó en el II Congreso Internacional de Escritores Antifascistas; su primer hijo murió a los pocos meses de nacer. Al terminar la guerra, Miguel Hernández intentó huir hacia el exilio, pero fue atrapado y enviado a la cárcel, donde murió.

El comienzo de su producción poética está marcado por la influencia gongorina (*Perito en lunas*, 1933). *El rayo que no cesa* (1936) marca el inicio de la etapa de madurez, donde se reflejan los temas constantes de su obra: vida, amor y muerte. Con la guerra comienza la etapa de poesía de compromiso (o de urgencia), con libros como *El hombre acecha* o *Viento del pueblo.* La etapa final fue escrita íntegramente en la cárcel, y se aprecia en ella un hondo intimismo y una vuelta a la lírica popular, presente desde el mismo título: *Cancionero y romancero de ausencias* (1937-1941).

El texto que se presenta a continuación es sin duda una de las grandes elegías de la literatura española.

ELEGÍA A RAMÓN SIJÉ
EL RAYO QUE NO CESA (1936)

(En Orihuela, su pueblo y el mío, se me ha muerto como del rayo Ramón Sijé,[1] *con quien tanto quería.)*

Yo quiero ser llorando el hortelano
de la tierra que ocupas y estercolas,
compañero del alma, tan temprano.

Alimentando lluvias, caracoles
5 y órganos mi dolor sin instrumento,
a las desalentadas amapolas

daré tu corazón por alimento.
Tanto dolor se agrupa en mi costado,
que por doler me duele hasta el aliento.

10 Un manotazo duro, un golpe helado,
un hachazo invisible y homicida,
un empujón brutal te ha derribado.

No hay extensión más grande que mi herida,
lloro mi desventura y sus conjuntos
15 y siento más tu muerte que mi vida.

Ando sobre rastrojos[2] de difuntos,
y sin calor de nadie y sin consuelo
voy de mi corazón a mis asuntos.

---

1. Ramón Sijé era el seudónimo del escritor José Ramón Marín Gutiérrez, amigo íntimo y valedor de Miguel Hernández.
2. rastrojos: residuo de las cañas del cereal cuando se siega.

Temprano levantó la muerte el vuelo,
20 temprano madrugó la madrugada
temprano estás rodando por el suelo.

No perdono a la muerte enamorada,
no perdono a la vida desatenta,
no perdono a la tierra ni a la nada.

25 En mis manos levanto una tormenta
de piedras, rayos y hachas estridentes
sedienta de catástrofes y hambrienta.

Quiero escarbar la tierra con los dientes,
quiero apartar la tierra parte a parte
30 a dentelladas secas y calientes.

Quiero minar la tierra hasta encontrarte
y besarte la noble calavera
y desamordazarte y regresarte.

Volverás a mi huerto y a mi higuera:
35 por los altos andamios de las flores
pajareará tu alma colmenera

de angelicales ceras y labores.
Volverás al arrullo de las rejas
de los enamorados labradores.

40 Alegrarás la sombra de mis cejas,
y tu sangre se irán a cada lado
disputando tu novia y las abejas.

Tu corazón, ya terciopelo ajado,
llama a un campo de almendras espumosas
45 mi avariciosa voz de enamorado.

A las aladas almas de las rosas
del almendro de nata te requiero,
que tenemos que hablar de muchas cosas,
compañero del alma, compañero.

PROPUESTAS DE TRABAJO

1. Realiza un análisis formal, indicando las partes y dónde se halla la mayor intensidad del texto.

2. Presta atención a la dedicatoria y señala de qué modo se subraya la afectividad.

3. Señala la relación de este poema con la *Coplas a la muerte de su padre*, de Jorge Manrique.

4. Subraya la importancia de la esticomitia y del encabalgamiento, así como del ritmo que se crea.

5. Señala las características de la elegía clásica que pueden hallarse en este poema.

6. Identifica los elementos de la tradición culta y de la popular.

7. ¿Qué tipo de imágenes se emplean?

Recursos en internet:
<http://jaserrano.nom.es/mhdez/>
<http://www.miguelhernandezvirtual.es/new/index.php/elpoeta/casamuseo>

Se recomienda vivamente escuchar la versión musical del poema a cargo de Juan Manuel Serrat: <http://www.youtube.com/watch?v=RL_3RQVLks>

29

BLAS DE OTERO

Blas de Otero (Bilbao, 1916-Madrid, 1979) estudió Derecho en Valladolid y Filosofía y Letras en Madrid. El fallecimiento de su hermano y de su padre cuando todavía era un adolescente le marcaron profundamente, ensombreciendo su carácter y haciendo que la muerte se convirtiese en un tema esencial para él. Es, junto con Gabriel Celaya, el otro gran poeta representativo de la poesía social y existencial de la década de 1950, si bien se produce en él una evolución poética que resume muy bien la evolución de la poesía de posguerra.

La primera etapa de su obra se sitúa en la poesía existencial, con una fuerte influencia de la mística del Siglo de Oro (Blas de Otero estuvo siempre muy preocupado por el problema religioso, no en vano uno de sus primeros libros se titula *Cántico espiritual*, 1942), con obras como *Ángel fieramente humano* (1950) y *Redoble de conciencia* (1951); en 1958 fusionó ambas (añadiendo varios poemas) bajo el título *Ancia*, que fue prologada por Dámaso Alonso, quien la calificó como «poesía desarraigada». Además de la crítica al horror producido por las guerras (tanto en España como en Europa), y de su angustia existencial al preguntarse por el sentido de la vida, hay también poesía amorosa, entendida aquí como una posibilidad de salvación ante ese panorama desolador. El estilo es desgarrador y se mezclan lo culto y lo popular, aunque con predominio de formas clásicas. La poesía social domina su segunda etapa, iniciada con *Pido la paz y la palabra* (1955), seguida por *En castellano* (1960) y *Que trata de España* (1964), en el que se aprecian ecos machadianos, sobre todo en lo que atañe a la consideración del paisaje. Temáticamente predomina la solidaridad con los desfavorecidos, la libertad, la paz y la justicia (el tema religioso pierde aquí la fuerza que había tenido en su obra precedente) y, como hemos visto en el caso de Gabriel Celaya, también se busca la sencillez expresiva para llegar al mayor número de gente. En la tercera etapa vuelve a un tono más intimista, en que la preocupación por el lenguaje poético adquiere un papel preponderante, aunque sin olvidar la reflexión sobre la vida y la política, como muestra en *Historias fingidas y verdaderas* (1970). Finalmente, conviene destacar el profundo carácter renovador del lenguaje poético (en todos los sentidos) llevado a cabo por Blas de Otero.

EN EL PRINCIPIO

PIDO LA PAZ Y LA PALABRA (1955)

Si he perdido la vida, el tiempo, todo
lo que tiré, como un anillo, al agua,
si he perdido la voz en la maleza,
me queda la palabra.

5 Si he sufrido la sed, el hambre, todo
lo que era mío y resultó ser nada,
si he segado las sombras en silencio,
me queda la palabra.

Si abrí los labios para ver el rostro
10 puro y terrible de mi patria,
si abrí los labios hasta desgarrármelos,
me queda la palabra.

PROPUESTAS DE TRABAJO

Conviene escuchar en primer lugar la versión musical a cargo de Paco Ibáñez.

1. Señala las referencias bíblicas del título y del conjunto del poema.

2. Realiza un análisis formal del texto.

3. ¿Cuál es el tema?

4. Relaciona la importancia concedida a la palabra con otros poemas de esta misma antología.

3. Relaciona el poema con las circunstancias vitales y poéticas de su autor, y con la España del momento.

Recursos en internet:
<http://www.fundacionblasdeotero.org/es>

30

ÁNGEL GONZÁLEZ

Ángel González (Oviedo, 1925-Madrid, 2008) pertenece al Grupo poético de 1950, también conocido como Generación del 50 o de los niños de la guerra, porque este traumático hecho determinó en buena medida (aunque no en todos los casos ni de igual manera) sus circunstancias posteriores. Su infancia estuvo marcada por los desastres de la guerra, que motivaron la ruina familiar. Estudió Derecho en Oviedo y Periodismo en Madrid, y a partir de 1955 se trasladó a Barcelona, donde trabó estrecha amistad con los poetas de la llamada «Escuela de Barcelona»: Carlos Barral, José Agustín Goytisolo y Jaime Gil de Biedma, que se completaría con la amistad que mantuvo con otros escritores del 50 radicados en Madrid, como Juan García Hortelano y José Manuel Caballero Bonald, entre otros. Su primer libro, *Áspero mundo* (1956), muestra desde el título su visión desesperanzada del hombre y de la sociedad. En sus libros posteriores avanza en su búsqueda de una vida más plena, así como en la crítica a la sociedad y en su solidaridad con los más necesitados. Sus títulos reflejan muy bien la sociedad en que vivió: *Sin esperanza, con convencimiento* (1961), *Grado elemental* (1962), *Palabra sobre palabra* (1965) y *Tratado de urbanismo* (1967). En 1968 publicó sus poesías completas bajo el título *Palabra sobre palabra*. A partir de 1972 se trasladó a Estados Unidos para ejercer como profesor universitario, aunque viajó frecuentemente a España. En su obra destaca el uso del humor, la ironía y la parodia, así como también el juego constante con el lenguaje, todo ello con un estilo coloquial y sencillo y con tendencia hacia la experimentación, como en *Breves acotaciones para una biografía* (1971) o *Prosemas o menos* (1984). Entre sus temas principales, además de los señalados, están el paso del tiempo (hay que destacar aquí la influencia que ejerció en él la obra de Antonio Machado) y el amor, como se pueda apreciar, por ejemplo, en *Otoño y otras luces* (2001).

PARA QUE YO ME LLAME ÁNGEL GONZÁLEZ
ÁSPERO MUNDO (1956)

Para que yo me llame Ángel González,
para que mi ser pese sobre el suelo,
fue necesario un ancho espacio
y un largo tiempo:
5 hombres de todo el mar y toda tierra,
fértiles vientres de mujer, y cuerpos
y más cuerpos, fundiéndose incesantes
en otro cuerpo nuevo.
Solsticios y equinoccios[1] alumbraron
10 con su cambiante luz, su vario cielo,
el viaje milenario de mi carne
trepando por los siglos y los huesos.
De su pasaje lento y doloroso
de su huida hasta el fin, sobreviviendo
15 naufragios, aferrándose
al último suspiro de los muertos,
yo no soy más que el resultado, el fruto,
lo que queda, podrido, entre los restos;

1. solsticio, equinoccio: época en que el sol se halla en uno de los dos trópicos, lo cual sucede del 21 al 22 de junio para el de Cáncer, y del 21 al 22 de diciembre para el de Capricornio.

esto que veis aquí,
20 tan sólo esto:
un escombro tenaz, que se resiste
a su ruina, que lucha contra el viento,
que avanza por caminos que no llevan
a ningún sitio. El éxito
25 de todos los fracasos. La enloquecida
fuerza del desaliento...

PROPUESTAS DE TRABAJO

Escucha la lectura del poema a cargo del propio autor: <http://www.youtube.com/watch?v=tZSrF6mv644>

1. Analiza la estructura y el tema.

2. Busca en el texto pruebas del tono conversacional del poema y de su sencillez expresiva.

3. ¿Qué impresión general transmite el texto?

4. ¿Tiene valor universal la descripción que hace?

Recursos en internet:
<http://www.cervantesvirtual.com/bib/AGonzalez/>

31

JOSÉ ÁNGEL VALENTE

José Ángel Valente (Orense, 1929-Ginebra, Suiza, 2000) estudió Derecho en la Universidad de Santiago de Compostela y Filología Románica en Madrid. En 1955 se marchó a la Universidad de Oxford como profesor, y luego su trabajo de traductor le llevó a París y Ginebra, hasta que se estableció de nuevo en España (concretamente en Almería) en 1980, pero con estancias continuas en el extranjero. Aunque también pertenece al Grupo poético del 50, a partir de la década de 1960 siguió una línea poética muy personal, encaminada hacia la poesía del silencio, como muestran *Poemas a Lázaro* (1960), *La memoria y los signos* (1966) y *Siete presentaciones* (1967). Se trata de una poesía compleja, críptica, que recibe la influencia de la mística mezclada con otras tradiciones (como el sufismo, el budismo o la cábala), con especial atención por la filosofía y la reflexión sobre el lenguaje poético, y que hace gala de un afán renovador en el lenguaje y de un enorme interés por la precisión de la palabra y el ritmo. *El inocente* (1970) da buena cuenta de que su esencialismo va en aumento. En sus últimos libros se puede hablar ya de una poesía mística pero también materialista, donde el erotismo tiene un lugar importante; así en *Tres lecciones de tinieblas* (1980), *Mandorla* (1982) o *Fragmentos de un libro futuro* (2000). No debe dejarse de mencionar su importante labor como traductor y ensayista.

EL INOCENTE (1970)

Si no creamos un objeto metálico
de dura luz,
de púas aceradas,
de crueles aristas,
5 donde el que va a vendernos, a entregarnos, de pronto
reconozca o presencie metódica su muerte,
cuándo podremos poseer la tierra.

Si no depositamos a mitad del vacío
un objeto incruento[1]
10 capaz de percutir[2] en la noche terrible
como un pecho sin término,
si en el centro no está invulnerable el odio,
tentacular, enorme, no visible,
cuándo podremos poseer la tierra.

15 Y si no está el amor petrificado
y el residuo del fuego no pudiera
hacerlo arder, correr desde sí mismo, como semen o lava,
para arrasar el mundo, para entrar como un río
de vengativa luz por las puertas vedadas,[3]
20 cuándo podremos poseer la tierra.

Si no creamos un objeto duro,
resistente a la vista, odioso al tacto,
incómodo al oficio del injusto,
interpuesto entre el llanto y la palabra,
25 entre el brazo del ángel y el cuerpo de la víctima,
entre el hombre y su rostro,
entre el nombre del dios y su vacío,
entre el filo y su espada,

1. incruento: no sangriento.
2. percutir: dar golpes repetidamente.
3. vedadas: prohibidas.

entre la muerte y su naciente sombra,
30 cuándo podremos poseer la tierra,
cuándo podremos poseer la tierra,
cuándo podremos poseer la tierra.

PROPUESTAS DE TRABAJO

1. Identifica la estructura del texto.

2. Señala el tema del poema y su relación con el título.

3. Reflexiona sobre el valor de la palabra y de la poesía.

4. ¿Por qué decimos que en este poema el esencialismo es cada vez mayor?

Recursos en internet:
<http://www.cervantes.es/bibliotecas_documentacion_espanol/biografias/marrakech_jose_angel_valente.htm>

32

JAIME GIL DE BIEDMA

Jaime Gil de Biedma (Barcelona, 1929-1990), miembro de la Escuela de Barcelona (subgrupo dentro del Grupo poético de 1950), nació en una familia perteneciente a la burguesía catalana y, a diferencia de otros compañeros de su generación, la guerra no supuso para su infancia una experiencia traumática, si bien vivió conflictivamente su pertenencia a la clase burguesa debido a su fuerte compromiso social y su sentido de la autocrítica. Su obra poética es tan breve como intensa y está agrupada bajo el significativo título *Las personas del verbo* (1975 y 1982), volumen que reúne los siguientes libros: *Según sentencia del tiempo* (1953), *Compañeros de viaje* (1959), *Moralidades* (1966) y *Poemas póstumos* (1968). En su poesía tiene mucha importancia el elemento autobiográfico y los temas principales son el amor, el paso del tiempo, la conciencia social y la denuncia de la burguesía, así como la amistad y la búsqueda de la felicidad, todo ello con un tono conversacional e irónico, muy propio de su generación. De su obra en prosa hay que citar *Diario del artista seriamente enfermo* (1974), *Retrato del artista en 1956* (1990) y la recopilación de ensayos titulada *El pie de la letra* (1980).

INTENTO FORMULAR MI EXPERIENCIA DE LA GUERRA

MORALIDADES (1966)

Fueron, posiblemente,
los años más felices de mi vida,
y no es extraño, puesto que a fin de cuentas
no tenía los diez.

5 Las víctimas más tristes de la guerra
los niños son, se dice.
Pero también es cierto que es una bestia el niño:
si le perdona la brutalidad
de los mayores, él sabe aprovecharla,
10 y vive más que nadie
en ese mundo demasiado simple,
tan parecido al suyo.

Para empezar, la guerra
fue conocer los páramos[1] con viento,
15 los sembrados de la gleba[2] pegajosa
y las tardes de azul, celestes y algo pálidas,
con los montes de nieve sonrosada a lo lejos.
Mi amor por los inviernos mesetarios
es una consecuencia
20 de que hubiera en España casi un millón de muertos.[3]

A salvo en los pinares
—¡pinares de la Mesa, del Rosal, del Jinete!—,
el miedo y el desorden de los primeros días
eran algo borroso, con esa irrealidad
25 de los momentos demasiado intensos.
Y Segovia parecía remota
como una gran ciudad, era ya casi el frente
—o por lo menos un lugar heroico,

1. páramo: terreno sin cultivar e inhóspito.
2. gleba: tierra, especialmente la cultivada.
3. Alusión a las víctimas de la guerra civil, pero también a la novela de José María Gironella: *Un millón de muertos* (1961).

un sitio con tenientes de brazo en cabestrillo[4]
30 que nos emocionaba visitar: la guerra
quedaba allí al alcance de los niños
tal y como la quieren.
A la vuelta, de paso por el puente Uñés,
buscábamos la arena removida
35 donde estaban, sabíamos, los cinco fusilados.
Luego la lluvia los desenterró,
los llevó río abajo.

Y me acuerdo también de una excursión a Coca,
que era el pueblo de al lado,
40 una de esas mañanas que la luz
es aún, en el aire, relámpago de escarcha,
pero que anuncian ya la primavera.
Mi recuerdo, muy vago, es sólo una imagen,
una nítida imagen de felicidad
45 retratada en un cielo
hacia el que se apresura la torre de la iglesia,
entre un nimbo[5] de pájaros.
Y los mismos discursos, los gritos, las canciones
eran como promesas de otro tiempo mejor,
50 nos ofrecían
un billete de vuelta al siglo diez y seis.
¿Qué niño no lo acepta?

Cuando por fin volvimos
a Barcelona, me quedó unos meses
55 la nostalgia de aquello, pero me acostumbré.
Quien me conoce ahora
dirá que mi experiencia
nada tiene que ver con mis ideas,
y es verdad. Mis ideas de la guerra cambiaron
60 después, mucho después
de que hubiera empezado la posguerra.

---

4. cabestrillo: banda pendiente del hombro para sostener la mano o el brazo heridos.

5. nimbo: nube grande, baja y grisácea.

PROPUESTAS DE TRABAJO

1. Relaciona el texto con la biografía del autor.

2. Relaciona el recuerdo perdurable de la experiencia infantil con tu propia experiencia al respecto.

3. Señala la estructura del poema, el tema y dónde está la mayor intensidad del texto.

4. Muestra de qué modo consigue el poema crear un tono coloquial y próximo.

Recursos en internet:
El texto está comentado en <http://www.ucm.es/info/especulo/numero42/gilbiedm. html>

NOTA EDITORIAL

En lo que atañe a la edición de los textos han sido todos debidamente cotejados, y para su edición se ha acudido principalmente a las ediciones de Austral y, en su defecto, se han tenido en cuenta las filológicamente más fiables y acreditadas.